afgeschreven

Koen en Lot in de bovenbouw

Spetterende acties
en een gillende sirene

Wil je meer lezen over Koen en Lot in de bovenbouw?

Lees dan ook deel 1:

Koen en Lot in de bovenbouw

deel 2

Spetterende acties
en een gillende sirene

Marianne Busser en Ron Schröder

Met illustraties van Dagmar Stam

Van Holkema & Warendorf

Voor Janneke, Peter, André en Bas

ISBN 978 90 475 0013 1
NUR 283
© 2007 Uitgeverij Van Holkema & Warendorf,
Unieboek BV, Postbus 97, 3990 DB Houten

www.unieboek.nl
www.mariannebusser-ronschroder.info

Tekst: Marianne Busser en Ron Schröder
Illustraties: Dagmar Stam
Vormgeving omslag: Petra Gerritsen
Zetwerk binnenwerk: ZetSpiegel, Best

Inhoud

Straf voor Daan en een bijzonder plan 7

Het verhaal van Jan-Jaap en een grappige tweeling 10

Een internetoproep en een fantastisch idee 15

Een spetterende actie en een verrassing voor Janneke 19

Een angstig moment en nieuws over meester Dirk 26

Zes reacties en een boze buurman Bol 30

Lekke banden en een romantische afspraak 34

Een soepbroek en een afschuwelijk ongeluk 39

Twee agenten en een verlossend telefoontje 46

Een verdrietige Els en een lege stoel 51

Een kikkercadeau en mail van Peter 57

Een broek vol verf en een spannende ontmoeting 62

Een belangrijk gesprek en telefoon voor Jan-Jaap 69

Een wonderlijke avond en een prachtig slot 73

Ontbijt op bed en een heel lief briefje 78

Straf voor Daan en een bijzonder plan

Het is woensdagmorgen, kwart voor negen. Iedereen heeft net zijn boeken gepakt, als Daan de klas binnen rent.

'Nee maar!' zegt juf Willeke. 'Wie hebben we daar? Als dat onze Daan niet is. Even denken. Je wilde vroeg opstaan, maar je wist ineens niet meer hoe dat moest. Jullie hond had zich verstopt in de ijskast. En bovendien dacht je dat de school niet híér, maar drie straten verderop stond. En daarom ben je dus weer eens te laat.'

Daan staart juf Willeke met grote ogen aan. 'Zo was het helemaal niet,' zegt hij dan. 'Ik heb me verslapen.'

'En verder?'

'Verder niets. Ik was gewoon te moe om een leuke smoes te bedenken.'

'Dan mag je dat vanmiddag doen,' zegt juf. 'Na schooltijd ga je voor mij vijftig redenen opschrijven waarom je te laat zou kunnen komen.'

'Mogen het er ook vijf zijn?' vraagt Daan voorzichtig. 'Want mijn oma is jarig, en daar gaan we straks naartoe.'

'Nou, vooruit dan maar,' zegt juf Willeke. 'Jarige oma's zijn tenslotte ook belangrijk.'

En dus blijft Daan om twaalf uur in zijn eentje in de klas achter.

'Succes, joh!' roept Koen lachend. 'Je kúnt het!'

'Poep op!' zegt Daan nijdig.

'Vanmiddag zijn we maar met z'n tweeën in het clubhuis,' zegt Koen. 'Els moet oppassen, Daan gaat naar zijn oma, en Tom mag post bezorgen voor het bedrijf van zijn buurman.'

'Leuk baantje, hoor,' zegt Lot. 'Hij krijgt tien cent per brief. Dat zou ik ook wel willen.' Ze denkt even na. 'Laten wij dan vanmiddag het clubhuis schoon gaan maken,' zegt ze dan.

Koen knikt. 'Ik vind het best.'

Als ze even later druk bezig zijn, komt er ineens een jonge vrouw de tuin in lopen. 'Hé!' roept ze enthousiast. 'Jullie zijn natuurlijk van de Club Zonder Naam.'

'Klopt,' zegt Koen. 'Maar hoe weet u dat eigenlijk?'

'Ik ben Astrid, de dochter van jullie buurman. Ik ben hier een

keer geweest toen jullie op school waren, maar ik heb al veel over jullie gehoord.'

'Oh, wat leuk,' zegt Lot.

'Dat is zeker leuk,' zegt Astrid. 'Mijn vader is veel vrolijker sinds jullie hier zo vaak zijn. Hij is namelijk dol op gezelligheid. Toen mijn moeder nog leefde, gingen ze samen graag dagjes uit en op vakantie. Maar in zijn eentje wil hij dat soort dingen niet.'

Koen knikt. 'Dat snap ik best.'

'Ik ook,' zegt Astrid. 'Maar eigenlijk... Eigenlijk hoop ik dat hij nog eens een lieve vriendin tegenkomt.'

'Nou,' zegt Koen lachend. 'We zullen goed zoeken.'

'Moet je doen!' En daarna gaat Astrid vrolijk naar binnen.

Koen en Lot werken hard door. Na een tijdje ziet het clubhuis er weer fantastisch uit.

Ineens zegt Lot: 'Als we het nou eens écht zouden gaan doen...'

'Wat?'

'Een lieve vriendin zoeken voor buurman Bol. We kunnen het toch proberen?'

Koen haalt zijn schouders op. 'Ik zou niet weten hoe. We kunnen moeilijk overal aanbellen.'

'Nee, sukkel,' zegt Lot. 'We zetten gewoon een oproep ergens op internet. Dat moet toch kunnen? Een tante van mij heeft haar man ook via internet gevonden.'

'Hoe dan?'

'Geen idee. Ik zal het straks eens aan mijn moeder vragen. Als ik het weet, kom ik vanavond na het eten nog even bij je langs.'

Het verhaal van Jan-Jaap en een grappige tweeling

'Hé Tom!' wordt er geroepen. 'Hoe is het op je vrije woensdag-middag?'

Tom kijkt om. Het is Jan-Jaap, de vriend van juf Willeke. Hij springt van zijn fiets.

'Goed,' zegt Tom. 'Ik heb net post rondgebracht voor mijn buur-man, dus ik heb weer mooi wat verdiend. En hoe is het met jou?'

'Prima! Willeke en ik hebben net de trouwdatum vastgelegd bij het gemeentehuis en de kerk. Het is nog een heel gedoe, zo'n bruiloft regelen. Maar wel heel leuk!'

Tom zegt niets terug.

Jan-Jaap kijkt hem eens onderzoekend aan. 'Is er iets?'

'Hij reed net langs,' mompelt Tom een beetje afwezig.

'Wie?'

'Bert. Je weet wel, Bert de Vroege. De jongen die toen het raam van ons clubhuis heeft ingegooid.'

'Aha,' zegt Jan-Jaap. 'De knul die jou zo pestte toen je nog op basisschool De Heul zat?'

'Ja, die,' zegt Tom. 'En bij de voetbalwedstrijd tegen De Heul heeft hij me zo'n beetje verrot geschopt. Maar nu deed hij niets. Hij stak zelfs zijn middelvinger niet op. Zeker omdat jij erbij was.'

Jan-Jaap denkt even na. 'Ik denk eigenlijk dat hij zich voortaan wel gedeisd zal houden. Buurman Bol is toch met de directeur van De Heul gaan praten nadat Bert het raam van het clubhuis had ingegooid? Ik herinner me dat hij toen ongenadig op zijn donder heeft gekregen. Nee, ik denk echt dat je geen last meer van hem zult hebben.'

'Ik hoop het,' zegt Tom. 'Want ik ben toch nog steeds een beetje bang voor hem.'

Jan-Jaap stelt hem gerust. 'Ben je gek, joh! Die jongen durft niet meer. En gelukkig heb je ook nog vrienden. Dat is echt goud waard, Tom. Je weet niet half hoe belangrijk het is om echte vrienden te hebben.'

Jan-Jaap blijft even stil en dan praat hij verder. 'Toen ik twintig was, overleed mijn vader. Ik had het daar heel erg moeilijk mee. Ik gedroeg me in die tijd onmogelijk. Ik werd om alles kwaad en ik wilde niet meer studeren. Mijn moeder heeft het zwaar met me gehad. En mijn zusje trouwens ook. Zij hadden tenslotte ook veel verdriet, en zaten ook nog eens met mij opgescheept. En er was echt niks met me te beginnen.'

Tom schrikt. 'Ja,' zegt hij. 'Dat snap ik.'

'Ik ook,' zegt Jan-Jaap. 'Eigenlijk was er toen maar één die zich niets van mijn buien aantrok, en dat was Teun. Je hebt hem wel eens gezien, toen we die posters voor het clubhuis bij de videotheek gingen halen. Teun bleef door dik en dun mijn vriend. Hij haalde me elke dag op. En of ik nu wilde of niet, ik moest gewoon mee. Hij heeft me erdoorheen gesleept. Als ik hem niet had gehad, was er niets van me terechtgekomen. Dan had ik mijn studie ook echt niet afgemaakt.'

'Hé, wat toevallig!' horen ze dan roepen.

Jan-Jaap en Tom kijken om. Het is Els. Ze heeft aan elke hand een jongetje van een jaar of drie. 'Dit zijn mijn oppaskindjes,' zegt ze trots. 'Een tweeling. En nu kan ik ze leuk even aan jullie laten zien.'

'Geweldig,' zegt Jan-Jaap. 'En wat hebben jullie een mooie pet. Vertel eens, mannetjes. Hoe heten jullie?'

'Die is André,' zegt een van de jongetjes. 'En ik is Bas.'

'Prachtige namen,' vindt Jan-Jaap. 'En jullie lopen zo keurig aan de hand.'

'Moet van mama,' zegt André. 'Want gisteren is Bas de straat op geloopt.'

Tom begint te lachen. 'Hoe hou je ze eigenlijk uit elkaar?' vraagt hij. 'Want het zijn net twee druppels water.'

'Tja,' zegt Els. 'Ik doe het ook wel eens fout. Maar hun moeder weet altijd precies wie wie is.'

'Ja,' zegt Bas trots. 'Onze mama is heel knap. En ze kan ook huilen.'

'Huilen?' vraagt Jan-Jaap lachend. 'Kan ze dat ook?'

'Ja,' zegt Els. 'Maar dat was wel heel zielig. Vanmorgen barstte Janneke ineens in snikken uit. Beneden moet het plafond nog gewit worden. Boven liggen rollen vloerbedekking die nog gelegd moeten worden. De kasten zijn bezorgd, maar die zitten allemaal nog in dozen. Het speelgoed kan dus nergens in. En overal liggen spullen op de grond.'

'Hoe komt dat dan?' vraagt Jan-Jaap.

'Ze wonen hier nog maar net,' legt Els uit. 'En Peter, haar man, zou het huis opknappen en de kasten in elkaar zetten, want hij zou twee maanden vrij zijn.'

'Twee maanden vrij?' vraagt Tom verbaasd. 'Dat is lang.'

Els knikt. 'Hij is stuurman op een groot containerschip. Hij is altijd twee maanden weg en dan weer twee maanden thuis. Na

de verhuizing zou hij thuis zijn, maar toen moest hij plotseling invallen voor een stuurman die ziek werd. Dat kon gewoon niet anders. En daarom zit Janneke nu dus in de troep. Ze ziet het helemaal niet meer zitten.'

Jan-Jaap knikt. 'Dat kan ik me voorstellen.'

Els vertelt verder. 'Vandaag is ze voor een bespreking bij de uitgeverij. Ze is schrijfster en haar nieuwe boek moet binnenkort ingeleverd worden. Dus daar is ze ook druk mee. En zaterdag is de bruiloft van haar beste vriendin. Dan mag ik weer oppassen.'

'Leuk voor je,' zegt Jan-Jaap. 'Maar het is allemaal wel zielig voor die Janneke.'

Els knikt. 'Ja. En ik zou best willen helpen met opruimen en zo, maar dat gaat een beetje lastig als er geen kasten zijn.'

Maar dan vindt André kennelijk dat het gesprek wel lang genoeg geduurd heeft.

'Ik ga met mama trouwen,' vertelt hij blij.

'Ik ook,' roept Bas. 'Als ik even hoog ben.'

'Als je even groot bent,' verbetert Tom.

'Ja.' Bas knikt tevreden. 'Dan ook.'

'Leuk, hoor,' zegt Els. 'Maar nu gaan we naar huis om een appeltje te eten. Zeg maar: dag Tom, dag Jan-Jaap. Tot ziens!'

Een internetoproep en een fantastisch idee

'Mam?' vraagt Lot, als ze met haar moeder de tafel afruimt. 'Het is toch zo dat tante Ria oom Kees via internet heeft gevonden?'

'Ja, dat klopt. Eerst had ze een afspraak met een griezel, en toen met een hele leuke. En dat was dus oom Kees.'

'Maar hoe deed ze dat dan?'

'Nou, gewoon. Ze had een of andere oproep op internet gezet.'

'Waar dan?' vraagt Lot.

'Tja, dat weet ik niet precies meer. Ik geloof op veertigpluscontact.nl of zoiets. Maar vanwaar die belangstelling? Ben je soms ook op zoek?'

'Nee, hoor,' zegt Lot. 'Ik wilde het alleen maar weten. We hadden het op school over chatten en toen moest ik ineens aan tante Ria denken. Maar eh... ik ga zo nog even naar Koen. Hoe laat moet ik thuis zijn?'

'Halfnegen. Daarna douchen en dan kun je in bed nog even lekker lezen.'

Even later zitten Koen en Lot samen achter de computer. Ze bekijken de ene website na de andere. Eindelijk hebben ze een geschikte site gevonden.

'Plaats een nieuw bericht,' leest Koen hardop. 'Klik hier.'

'Wat moeten we eigenlijk schrijven?' vraagt Lot.

'Laat mij maar even.' Koen begint als een razende te typen.

Wij zoeken een leuke vrouw voor onze buurman. Hij is ongeveer zestig jaar en hij hoeft niet meer te werken. Hij is vreselijk lief en aardig. We weten dat hij graag iemand zou willen hebben om gezellige dingen mee te doen, zoals uit eten gaan en reizen. Als u iemand zoekt, en als u net zo lief en leuk bent als hij, stuur ons dan een mailtje.

Groetjes van Koen en Lot

'Klaar,' zegt Koen. 'Is het zo goed?'

Lot leest het oproepje door. 'Best leuk, zo. Je moet alleen nog je e-mailadres erbij zetten, en de woonplaats. Anders schrijft er straks nog iemand die helemaal aan de andere kant van het land woont.'

Even later klikt Koen op verzenden. 'En nu maar afwachten,' zegt hij tevreden.

Diezelfde avond gaat bij Tom thuis de telefoon.

'Tom, het is voor jou!' roept zijn moeder naar boven.

Tom rent de trap af. 'Met Tom.'

'Hoi. Met Jan-Jaap. Moet je luisteren. Ik heb iets bedacht. Als wij voor zaterdag nu eens wat mensen bij elkaar trommelen en het huis van die tweelingmoeder gaan opknappen? Dat leek me wel een goed idee.'

'Mij ook,' zegt Tom. 'Maar, eh... je kunt toch niet zomaar het huis van die Janneke gaan opknappen zonder dat ze daar vanaf weet?'

'Nou,' zegt Jan-Jaap. 'Ik heb net de moeder van Els gebeld. Zij denkt dat Janneke het juist geweldig zal vinden als er hulp komt, en dat ze er echt geen probleem mee zal hebben dat anderen dan in haar huis bezig zijn. Dus dat zou dan mooi aanstaande zaterdag kunnen, als Els weer gaat oppassen. De moeder van Els weet vrij aardig wat er allemaal in huis moet gebeuren.'

Tom begint te glimmen. 'Nou, ik wil wel. Zeg maar wat ik moet doen.'

'Als jij nu vraagt of Koen, Lot en Daan ook komen helpen, dan bel ik Teun en buurman Bol. Willeke wil trouwens ook meehelpen. Als het allemaal lukt, is Janneke in één klap uit de rommel. Maar het moet wel een verrassing blijven.'

'Ik snap het,' zegt Tom.

'Prachtig, je hoort nog van me!'

'Wie was dat?' vraagt Toms vader nieuwsgierig.

Opgewonden vertelt Tom het hele verhaal.

'Jammer dat ik zaterdag weg moet,' zegt zijn vader. 'Anders was ik ook gekomen. Wat een prachtig idee!'

17

'Maar ik ben er wél,' zegt Toms moeder lachend. 'Ik zorg voor broodjes en drinken en zo. Dat zullen jullie dan best kunnen gebruiken.'

Als Tom die avond in bed ligt, verheugt hij zich al op zaterdag. Hij heeft Koen, Lot en Daan gebeld en zij vonden het ook een hartstikke leuk plan. Wat zal die Janneke opkijken als ze zaterdagavond thuiskomt...

Een spetterende actie en een verrassing voor Janneke

'Daar zijn we dan,' zegt Jan-Jaap. Hij stapt samen met Teun en juf Willeke naar binnen.

Koen, Lot, Tom, en de moeder van Els zijn er al.

'Vertel maar,' zegt Jan-Jaap. Hij heeft een stevige gereedschapskoffer in zijn hand. 'Wat moet er gebeuren?'

De moeder van Els lacht. 'Meer dan je hoopt, waarschijnlijk.'

'Gelukkig maar,' zegt Teun. 'Want ik hou niet van een klein beetje.'

Samen lopen ze de trap op. 'Struikel niet over die rollen daar,' waarschuwt de moeder van Els. 'Dat is de vloerbedekking. Die moet nog gelegd worden. En in alle slaapkamers staan dozen en overal liggen spullen.'

Jan-Jaap wijst naar een stapel grote pakketten die tegen de muur staan. 'Dat zullen de kasten zijn. Die moeten dus in elkaar gezet worden.'

'Gelukkig is hier al wel geschilderd en behangen,' zegt juf Willeke. 'Dat scheelt weer.'

'Aan de slag dan maar,' roept Teun vrolijk. 'Eerst maken we deze kamer leeg en dan gaan we de vloerbedekking leggen. Daarna zetten we die kasten in elkaar. Dan kunnen jullie alles straks netjes in de kasten leggen. En daarna gaan we door naar de volgende kamer.'

'Wat kunnen wij doen?' vraagt Koen.

'Zingen,' zegt Teun. 'Ik ben dol op muziek tijdens het werk.'
'Sjouwen lijkt me anders handiger,' bromt Jan-Jaap. Hij duwt Koen een flinke doos in zijn armen. 'Zet maar even in de kamer hiernaast. En pak jij die, Tom.'
'Zullen wij ook meesjouwen?' vraagt Lot.
'Doe maar niet,' zegt Teun. 'Dan lopen we elkaar in de weg. We roepen wel als we jullie nodig hebben.'
'Goed,' zegt de moeder van Els. 'Dan gaan wij beneden aan de slag.' Ze loopt voor Lot en juf Willeke uit de trap af.
'Waar is Els eigenlijk?' vraagt juf Willeke.
'Die brengt Janneke met de jongetjes naar de trein. Ik heb gezegd dat ze maar een flink eind met ze moest gaan wandelen, dan kunnen wij een beetje op gang komen.'
Op dat moment stuift Daan de gang in. 'Ben ik te laat?' roept hij hijgend.
'Ja,' zegt juf Willeke. 'Alles is al klaar. Je kunt wel weer gaan.'
'Nee toch?' vraagt Daan geschrokken.
'Nee, hoor,' zegt de moeder van Els. 'Er is nog genoeg te doen. Als jij nou samen met Lot vast in de tuin begint, dan ga ik met Willeke de woonkamer leegruimen. Daar moet het plafond namelijk nog gewit worden.'
'Leegruimen om een beetje te witten?' roept een zware stem.
'Buurman Bol!' roept Lot enthousiast. 'Komt u ook helpen?'
'Wat dacht je dan? Jan-Jaap heeft me gebeld. Ik heb vroeger zo vaak geschilderd. Ik kan het nog best, hoor. En ik kan witten zonder te knoeien. Let maar op. Alleen de gordijnen en de lamp aan het plafond moeten weg. Als jullie even helpen met het afdekken van de spullen, dan zorg ik voor de rest.'

Even later is iedereen druk bezig. Jan-Jaap, Teun, Tom en Koen zijn boven. Buurman Bol is aan het witten, en juf Willeke en de moeder van Els zijn in de keuken aan het werk.
Intussen halen Daan en Lot het torenhoge onkruid uit de tuin.
'Het lijkt wel een oerwoud,' zegt Daan.
Dan stapt Els met de jongetjes de tuin in. 'Gaat het goed?'
'Nou en of,' zegt Lot. 'Iedereen is bezig.'
'Wij gaan ook helpen,' roept André.
'Kom maar,' zegt Daan. Hij pakt twee emmers. 'Ga maar blaad-

jes rapen. Kijk zo!' Hij raapt een blaadje van de grond en gooit het in een emmer.

Even later lopen Bas en André druk rapend door de tuin. 'Slak!' roept Bas ineens. Trots houdt hij een fikse huisjesslak omhoog.

'Gooi maar weg,' zegt Lot.

Bas schudt zijn hoofd. 'Nee, voor papa.' Hij propt de slak in zijn broekzak.

Lot begint te proesten. 'Bah,' zegt ze. 'Dat is vies.' Ze peutert de slak weer uit zijn broek.

'Nee!' brult Bas woedend. 'Van mij!'

'Doe hem hier maar in,' zegt Daan. Hij zet een oude bloempot op de grond. En dan is het weer goed.

Twee uur later komt de moeder van Tom met twee grote tassen vol broodjes en drinken.

'Wie honger heeft, moet komen,' roept ze vrolijk.

Bas en André stormen op haar af en krijgen als eersten een broodje.

'Mm!' roept Bas. 'Met kwakworst.'

'Ja,' zegt André tevreden. 'We worden wel geboft.'

Als alles op is, gaat iedereen weer snel aan de slag. Want er moet nog veel gebeuren.

Aan het eind van de middag is alles klaar. De keuken is schoon, het gras is gemaaid en de tuin staat er prachtig bij. De kamer is gewit, de vloerbedekking ligt, de kasten zitten in elkaar, en het hele huis is opgeruimd.

'Nou, jullie kunnen best trots zijn,' zegt Willeke tegen Teun.

'Zijn we ook,' zegt Teun. 'Jammer dat Jan-Jaap weer zo nodig op zijn duim moest timmeren, anders waren we al eerder klaar geweest.'

'Zanik niet, man,' bromt Jan-Jaap.

Dan wijst André naar buurman Bol. 'Kijk, zijn haar is wit!'

Buurman Bol voelt op zijn hoofd. Er zitten grote, harde klonten witsel in.

Juf Willeke lacht. 'Hebt u het héle plafond met uw haar gedaan of alleen de hoekjes?'

'Schaar nodig?' vraagt Jan-Jaap vrolijk.

'Laat maar,' zegt buurman Bol. 'Ik probeer het vanavond eerst maar eens met douchen.'

Teun pakt een plastic tas uit de gang. 'Ik heb ballonnen en een pompje meegenomen. Dan kunnen we de voordeur versieren. Dat is leuk voor als Janneke straks thuiskomt.'

'Goed idee,' zegt de moeder van Els. 'Dan ga ik nu even een paar bossen bloemen te halen. Dat staat extra feestelijk. De trein van Janneke komt om halfzes aan, dus dat red ik nog wel.'

Intussen staat Els samen met Bas en André op het perron te wachten. De jongetjes beginnen te juichen als de trein eraan komt. En niet lang daarna stapt Janneke het perron op. Ze spreidt haar beide armen uit, en de tweeling rent op haar af.

'Hoe gaat het?' vraagt ze blij.

'Goed,' roept Bas. 'En we bennen een verrassing!'

'Dat zijn jullie zeker,' zegt Janneke. 'Het is heerlijk om jullie weer te zien.' Ze kijkt even naar Els. 'Hoe is het gegaan?'

'Prima. We hebben het echt heel gezellig gehad.'

'En opa Bol zijn haar is wit,' roept André.

'En Jan-Jaap had bloed aan zijn duim,' zegt Bas. 'En nu heeft hij een pleis.'

Janneke lacht. 'Ik snap er niks van.'

'Ik ook niet,' zegt Els. 'Maar dat geeft niet.' En dan lopen ze samen naar huis.

Ineens blijft Janneke verrast staan. 'Waarom hangen er ballonnen? En wat ziet de tuin er netjes uit!'

'Hebben wij gedaan,' zegt Bas trots. 'En André ook. En Daan, en de Bol-meneer, en, eh... iedereen.'

Janneke kijkt met grote ogen naar Els. 'Wat is hier gebeurd?'

'Tja,' zegt Els geheimzinnig. 'Ik weet het ook niet, hoor.'

Bas en André pakken hun moeders handen en trekken haar mee naar de voordeur.

De moeder van Els doet stralend open. 'Kom binnen! Maar niet schrikken, want binnen zitten allemaal mensen die je niet kent.'

Een beetje verbaasd loopt Janneke de kamer in. Ze ziet meteen dat het plafond gewit is.

'Hoe kan dit?' roept ze uit. 'Wat is het hier netjes. En al die bloemen... Wie heeft dat gedaan?'

'Wij,' zegt Jan-Jaap. 'Met z'n allen.'

Janneke wordt een beetje rood. 'Hebben jullie dat voor mij gedaan? Maar, eh... maar ik kén jullie niet eens!'

'Moet dat dan?' vraagt Teun lachend. 'We hadden gewoon zin in een potje klussen.'

'Ja,' zegt Els. 'En ga ook maar eens boven kijken.'

Janneke loopt helemaal beduusd de kamer uit. De jongetjes hobbelen opgewekt achter haar aan.

Na een tijdje komt ze alledrie weer beneden. 'Hoe is dit allemaal zo gekomen?' roept Janneke blij.

'En hoe kan ik jullie bedanken?'

'Niet nodig,' zegt juf Willeke. 'Aan je gezicht hebben we wel genoeg.'

Dan legt Els uit hoe ze dinsdag Jan-Jaap en Tom was tegengekomen, toen ze met de tweeling ging wandelen. En ook wat er daarna allemaal geregeld is.

Janneke schudt haar hoofd. 'Het is gewoon niet te geloven! En wat zal Peter hier ook blij mee zijn. Hij vond het afschuwelijk dat hij me hier met al die troep achter moest laten. Ik ga het hem straks meteen mailen.'

'Doe dat maar,' zegt Jan-Jaap. 'Maar nu gaan we met z'n allen een glaasje drinken. Ik heb wat flessen wijn en frisdrank meegenomen, en de hapjes zijn onderweg. De moeder van Lot komt eraan.'

Als na een uurtje iedereen weg is, gaat Janneke met de jongetjes op de bank zitten. Langzaam rolt er een dikke traan over haar wang.

'Ga je weer huilen?' vraagt Bas geschrokken.

'Nee, hoor, kleine schat,' zegt Janneke. 'Ik ben alleen nog maar blij. En ik ga zo lekker pannenkoeken voor jullie bakken.'

Een angstig moment en nieuws over meester Dirk

'Jongens, we gaan beginnen,' zegt juf Willeke.

'Maar Daan is er nog niet!' roept Joris.

Juf Willeke haalt haar schouders op. 'Daar ben ik al aan gewend. Zodra díé een keer op tijd is, trakteer ik.'

Op dat moment komt Daan achter de kast vandaan. 'Dat wordt dan trakteren, juf,' zegt hij breed lachend.

'Krijg nou wat!' roept juf stomverbaasd. 'Hoe lang zit jij daar al?'

'Al minstens een paar uur,' zegt Daan trots. 'Mijn vader heeft me uit bed gehaald. Hij moest toch vroeg weg vandaag. Dus ik was hier al om kwart over zes vanochtend.'

'Klets niet,' zegt Abdoel. 'Dan is de school nog niet eens open. Je zat er pas net, vlak voordat juf binnenkwam.'

'Ach, poep op, joh!' zegt Daan. 'Wat maakt dat nou uit? Maar, eh... wat krijgen we als traktatie? Spekkies?'

'Dat doet meester Jaap al,' zegt juf Willeke. 'Ik bedenk wel iets anders.'

'Ook goed, hoor,' zegt Daan. 'Nou,' zegt hij dan tegen de klas. 'Dat hebben jullie toch maar mooi aan mij te danken.' Hij loopt naar zijn plaats en gaat zitten.

'Maar, let op, Daan,' zegt juf dan. 'Ik trakteer morgen meteen als jullie binnenkomen.'

'En als ik dan te laat ben?'

'Dan heb je pech gehad.'

Daarna gaan ze aan het werk. Lot deelt de blaadjes uit en iedereen probeert de sommen te maken die juf Willeke op het bord heeft gezet.

'Ze zijn veel te moeilijk,' roept Joris verontwaardigd.

'Ssst,' zegt juf. 'Doe gewoon je best, Joris. Meer kun je niet doen.'

Joris zucht eens diep. Hij ziet het echt niet zitten.

Tussen de middag gaan Koen, Lot en Tom samen naar huis.

'Tot straks!' roept Koen. Hij loopt het tuinpad op.

'Eet smakelijk!' roept Lot een paar deuren verder.

En dan loopt Tom alleen door.

In de verte komt een jongen aan fietsen. Het is Bert. Hij fietst ineens de stoep op en komt recht op Tom af. Tom kan nog net opzij springen. Geschrokken kijkt hij om en hij ziet hoe Bert lachend de hoek om verdwijnt.

Langzaam draait Tom zich om en loopt naar huis.

'Wat is er met jou?' vraagt zijn moeder, als ze aan tafel zitten.

'Oh, niks,' zegt Tom.

'Je ziet een beetje wit. Misschien word je ziek.'

'Hm,' zegt Tom.

Na het eten gaat Tom voor het raam staan. Pas als hij Koen en Lot in de straat ziet, rent hij de deur uit. En dan lopen ze met z'n drieën weer naar school.

Toms moeder kijkt hen na. Er is iets, denkt ze. Maar ik heb geen idee wat...

'Ik moet jullie nog wat vertellen,' zegt juf Willeke, als iedereen weer in de klas zit. 'Ik ben namelijk bij meester Dirk op bezoek geweest.'

'En hoe gaat het met hem?' vraagt Fien.

'Eigenlijk al een stuk beter. Hij had veel eerder hulp moeten zoeken. Het is niet zo gek dat het zo fout met hem is gegaan nadat hun dochtertje zo plotseling was overleden. Hij was zo verdrietig dat hij eigenlijk niet meer verder wilde leven. En toen is hij dus steeds meer gaan drinken. Maar dankzij zijn lieve vrouw en de dokters, die hem nu helpen, komt hij er wel weer bovenop. Helemaal nu ze samen weer een baby krijgen.'

'Fijn,' zegt Els. 'Want ik vond hem toch ook wel lief. Ik bedoel, hij was in de klas nooit aardig, maar toen hij ons die brief had geschreven om te zeggen dat het hem allemaal zo speet, toen

vond ik hem echt vreselijk lief. Het is ook zo zielig wat er gebeurd is.'

'Ja,' zegt Joris. 'Dat is zo. Maar dat gebrul van hem zal ik toch niet gauw vergeten. Hij heeft zelfs een keer geschreeuwd dat ik een stom konijn was. En ik had maar twaalf fout!'

Daan begint te proesten. 'Kom op, joh! Je bent helemaal geen stom konijn. Hij heeft mij een keer een wandelende wind genoemd. En het was echt maar één windje.'

Iedereen begint te gieren van het lachen.

'En toch vond ik het niet leuk om een stom konijn genoemd te worden,' bromt Joris.

'Nou,' zegt juf Willeke lachend. 'Maar ik vind je anders een schát van een konijn.'

'Ja?' vraagt Joris vrolijk.

Daan lacht. 'Ik ook, hoor. Wil je een kus?'

'Ga weg, man!' zegt Joris. Maar dan begint hij te grijnzen. 'Oké, geef maar.'

'Te laat,' roept Daan. 'Volgende keer beter!'

Zes reacties en een boze buurman Bol

'We hebben mail!' zegt Koen enthousiast, als Lot binnenstapt.
'Kom gauw.'
'Leuke brieven?'
'Weet ik niet. Ik heb gewacht tot jij er ook was, dan kunnen we samen kijken.'
Ze rennen de trap op en gaan achter de computer zitten.
'Het zijn er zes,' zegt Koen. Hij klikt meteen op het eerste mailtje.

> Beste Koen en Lot.
> Ik zou het leuk vinden om die buurman van jullie te ontmoeten. Ik hoop wel dat hij netjes is en geen baard heeft. Ik hou namelijk niet van rommel en van baarden...

'Klik maar meteen weg,' zegt Lot. 'Dat is niks.'
Het volgende briefje is van een vrouw die wel kennis wil maken, maar alleen als hun buurman rijk is.
'Bah,' zegt Koen. 'Wat stom.'
Als ze het derde mailtje openen, springt er meteen een foto op het scherm van een zwaar opgemaakte vrouw met een enorme hoed.
Koen moet erom lachen. 'Net een struisvogel. En ze ziet er helemaal niet aardig uit.'
Maar de laatste brieven zijn wel leuk. Drie lieve, oudere dames,

die ook alleen zijn en graag met hun buurman kennis zouden willen maken.

'Gelukkig!' zegt Lot. 'Die printen we uit. En dan brengen we ze meteen naar buurman Bol.'

Even later lopen ze de trap af. 'Mam, we gaan naar het clubhuis,' roept Koen.

'Prima, tot straks!'

'Ik vind het toch wel een beetje eng,' zegt Lot, als ze het tuinpad van buurman Bol oplopen. 'Ben je gek,' zegt Koen. 'Hij is er vast hartstikke blij mee.'

'Zo,' zegt buurman Bol opgewekt. 'Zijn jullie daar weer?'

'Ja. En we hebben iets voor u. Iets heel leuks.'

'Nou, kom dan maar even binnen. Ik heb namelijk een pan soep op het gas staan en die moet ik een beetje in de gaten houden. Maar ik ben heel benieuwd.'

Even later zitten ze samen aan de keukentafel. 'Vertel,' zegt buurman Bol.

'Nou, eh...' begint Lot. 'Omdat u al zo lang alleen bent, hebben we geprobeerd een leuke vriendin voor u te zoeken. En, eh... toen hebben we een oproepje op internet gezet. En nu hebben we drie brieven voor u.'

'Van drie aardige vrouwen, die ook iemand zoeken,' voegt Koen er snel aan toe.

Buurman Bol wordt een beetje rood. Zijn hand beeft als hij de drie brieven van Lot aanpakt.

Koen en Lot wachten gespannen af wat buurman Bol gaat zeggen.

'Hier ben ik dus niet blij mee,' zegt hij op een toon die ze niet van hem gewend zijn. 'Heb ik jullie daarom gevraagd? Als ik

ooit nog eens iemand wil zoeken, dan regel ik dat zelf wel.
Daar heb ik jullie niet voor nodig. Dus laat dit soort dingen
voortaan alsjeblieft uit je hoofd.'

Met een nijdig gebaar gooit hij de mailtjes in de prullenbak.
Koen en Lot zijn heel erg geschrokken en maken dat ze weg-
komen. Met een wit gezicht gaan ze naar het clubhuis. Lot kan
wel huilen. 'Het was toch alleen maar om te helpen?' zegt ze
somber. 'En nu is hij boos.'
'Ja,' zegt Koen. 'Misschien was het ook wel een beetje stom van
ons. Maar ja...' Ze zitten een tijdje verslagen bij elkaar. Totdat

de deur ineens opengaat. Buurman Bol stapt naar binnen. Hij kijkt niet meer boos. 'Sorry, jongens,' zegt hij. 'Het spijt me dat ik zo uitviel. Dat was bepaald niet aardig, want ik snap dat jullie het heel goed bedoeld hebben. Maar, eh... ik wíl dat soort dingen niet. Irene was altijd zo'n schat van een vrouw voor me. Zo'n lieverd vind ik nooit meer. En ik vond het gewoon heel moeilijk toen jullie ineens met die brieven kwamen.'

'Ja,' zegt Koen bedrukt. 'Ik snap het.'

'Ik ook,' zegt Lot. 'Maar buurman... het hoeft toch niet uw vróúw te worden? Het is toch ook leuk om eens iets gezelligs met iemand te doen? En als het niet leuk is, spreekt u toch gewoon nooit meer af? U hoeft niet eens te zeggen waar u precies woont.'

Buurman Bol schudt zijn hoofd. 'Je bent lief,' zegt hij. 'En jij ook.' Hij geeft Lot een kus en Koen een aai over zijn bol. Daarna loopt hij langzaam terug naar huis.

Het is al laat als buurman Bol die avond aanstalten maakt om naar bed te gaan. Hij zet de muziek uit, sluit de computer af en brengt zijn glas naar de keuken.

Eigenlijk heeft hij de hele avond zitten denken. Over vroeger en over hoe het verder moet.

En nu is hij moe en een beetje verdrietig. Als hij langs de prullenbak loopt, blijft hij ineens staan. Hij bukt en pakt de brieven er weer uit. Dan gaat hij aan de tafel zitten en begint te lezen.

Twee brieven legt hij na een poosje boven op de kast. Met een glimlach leest hij de brief die nog op tafel ligt voor de derde keer. 'Ach, waarom ook niet?' mompelt hij. En dan loopt hij naar de computer en zet hem weer aan...

33

Lekke banden en een romantische afspraak

'Je mag je spreekbeurt doen, Joris,' zegt juf Willeke. 'Waar ga je het dit keer over hebben?'

'Over mijn lekke band,' zegt Joris.

'Je lekke band?' vraagt juf Willeke stomverbaasd.

De klas begint te proesten. De vorige keer hield Joris een spreekbeurt over zichzelf. Maar hij kwam eigenlijk niet veel verder dan dat hij Joris heette en dat hij geboren was. En nu heeft hij dus maar een ander onderwerp gekozen.

'En wat wilde je daarover vertellen?' vraagt juf.

'Dat er een gaatje in zit, natuurlijk,' roept Abdoel.

Joris wordt een beetje rood. 'Ik wilde eigenlijk vertellen hoe je hem moet plakken,' zegt hij ongemakkelijk. 'Gisteren was mijn band ineens lek, en ik kan wel laten zien hoe je die kunt plakken. Die dingen weet ik heel goed.'

Juf Willeke kijkt Joris aan. 'Dat vind ik echt een fantastisch idee! Wat heb je allemaal nodig?'

'Mijn fiets natuurlijk, en een bak water.' Joris haalt een reparatiedoosje uit zijn zak en legt het op het bureau van juf Willeke. 'Timo, regel jij even een bak water,' zegt juf. 'Dan kan Joris intussen zijn fiets uit het fietsenhok halen.'

Even later is Joris druk bezig. Hij wipt handig de buitenband van zijn fiets. Hij pompt de binnenband weer een beetje op en drukt een stukje band in de bak water. Steeds schuift hij de band wat verder op. 'Kijk, als je nou belletjes ziet komen, dan weet je

34

meteen waar het lek zit.' legt Joris uit. Op dat moment blubbert er ineens een stroom kleine belletjes uit het stukje band dat onder water is. Joris wijst ernaar. 'Daar zit dus het gaatje.'

'Inderdaad,' zegt juf. 'Ik zie het. Weet je dat ik dat nog nooit eerder gezien heb? Maar wat moet je nu dan doen?'
'Ik ga er een stukje rubber overheen plakken.'
Als de band gemaakt is, legt Joris zijn gereedschap weer terug in het doosje. 'Eh... dit was dus mijn spreekbeurt over mijn lekke band.'
Meteen barst er een donderend applaus los.
'Heel goed gedaan,' zegt juf Willeke. 'Je krijgt van mij een dubbel en dwars verdiende tien!'

Joris wordt rood van blijdschap. Zo'n hoog cijfer heeft hij nog nooit gehaald.

Dan stapt Daan de klas binnen.
'En?' vraagt juf. 'Wat nu weer?'
'Lekke band,' zegt Daan somber.
'Ja, ja,' zegt Timo. 'Dat is dus je nieuwste smoes.'
'Poep op, jij!' roept Daan kwaad. 'Toevallig is het echt waar.'
'Nou,' zegt juf Willeke lachend. 'Dan heb je net dus echt wat gemist. Jammer voor je. Maar ga maar gauw zitten.'
'Mm,' zegt Daan knorrig.
'Niet zo boos,' zegt juf. 'Als je je nu een beetje beter gaat gedragen, wil Joris je vanmiddag misschien wel helpen met je band. Hij is daar echt een kei in.'
Nu verschijnt er weer een lachje op Daans gezicht. Hoopvol kijkt hij naar Joris. 'Ja?' vraagt hij dan.
'Ja, hoor,' zegt Joris trots. 'Dat doe ik straks wel even.'

'Buurman Bol heeft net gebeld,' zegt de vader van Lot, als Lot die middag thuiskomt. 'Of je straks nog even met Koen bij hem langs wilt komen.'
'Doen we,' zegt Lot. 'Ik loop wel even naar Koen. Dan gaan we meteen.'
'Kom binnen,' zegt buurman Bol, zodra hij de kinderen op de stoep ziet staan. 'Ik moet jullie iets vertellen.' En dan vertelt hij dat hij 's avonds de brieven weer uit de prullenbak gevist heeft en ze toch nog heeft gelezen.
'En?' vraagt Lot nieuwsgierig.
'Nou, twee brieven vond ik leuk, maar die derde... eh... ja, die

vond ik héél erg leuk. Dus heb ik mijn computer weer aangezet en een mailtje gestuurd.'

'Oh, wat spannend,' zegt Koen. 'Hopelijk schrijft ze snel terug.'

'Ze hééft al teruggeschreven,' zegt buurman Bol. 'En toen heb ik haar weer gemaild. En nu hebben we een afspraak.'

'Geweldig!' roept Lot vrolijk.

'Waar woont ze eigenlijk?' vraagt Koen.

'Geen idee,' zegt buurman Bol. 'In elk geval niet heel ver weg, want ze wilde hier in de buurt afspreken.'

'Waar dan?'

'In De Gouden Leeuw. Je weet wel. Dat restaurantje tegenover het gemeentehuis. Volgende week vrijdag, om zeven uur.'

'Wat ontzettend leuk,' zegt Lot. 'Nou, dan gaan we aan u denken, hoor.'

'En duimen,' voegt Koen eraan toe. 'Hoe heet ze eigenlijk? En hoe moet u haar nu herkennen?'

'Ze heet Marijke. En ze heeft me een foto gemaild, dus dat zal wel lukken. Ik had geen leuke foto van mezelf, maar ik zou een rood-blauwgestreepte das dragen. Maar ik vind het wel een beetje eng, hoor. Op de foto ziet ze er heel lief uit, maar ik weet natuurlijk niet hoe ze in het echt is. En misschien vindt ze mij wel te oud of te saai.'

'Vast niet,' zegt Lot beslist. 'U bent nog hartstikke jong en u bent de aardigste man van de hele wereld.'

'Laten we het daar dan maar op houden,' zegt buurman Bol lachend. 'Maar praat er met niemand over, hè? Want dat wil ik echt niet.'

'We zullen zwijgen als het graf,' zegt Koen. 'Maakt u zich maar geen zorgen.'

'Leuk, hè?' zegt Lot, als ze naar huis lopen.

'Heel leuk. Maar ik denk dat we het volgende week vrijdag niet alleen bij denken en duimen moeten houden. Laten we stiekem gaan kijken. Ik wil die Marijke wel eens zien.'

'Nee, joh!' roept Lot geschrokken. 'Dat kun je toch niet maken? Hij ís al zo zenuwachtig!'

Koen lacht. 'Ik bedoel ook niet in het restaurant. Maar we kunnen toch op de trap van het gemeentehuis gaan staan en ons achter het muurtje verstoppen? Het is dan koopavond, dus dat valt helemaal niet op.'

Lot denkt na. 'Ja,' zegt ze dan. 'Dat kan wel. En ik vind het eigenlijk ook wel heel leuk om te zien met wie hij afgesproken heeft.'

Een soepbroek en een afschuwelijk ongeluk

'Ongelooflijk,' zegt juf Willeke, zodra de bel gaat. 'Iedereen is er, zélfs Daan. Je bent toch niet ziek?'

'Welnee,' zegt Daan. 'Ik ben gewoon geweldig.'

'Blíjf dat dan alsjeblieft,' zegt juf. Ze kijkt in haar agenda. 'Oh ja, vandaag beginnen we met een kikkerproject.'

'Jakkes!' roept Fien.

'Stel je niet zo aan,' zegt juf Willeke. 'Je kunt er veel van leren, en je hoeft ze echt niet op je schoot te houden.'

Fien zucht. 'Gelukkig.'

'Eerst moet ik even wat spullen halen,' zegt juf. Ze loopt de klas uit en komt terug met een emmer en een grote doos. Daaruit haalt ze een grote, glazen bak, een schepnet, een zakje grind, een plastic bakje en een zakje met waterplantjes.

'Zitten daar dan ook kikkers in?' vraagt Joris verbaasd.

'Nog niet,' zegt juf Willeke. 'Een paar van jullie mogen straks naar de sloot.'

Meteen vliegen er een aantal vingers de lucht in.

'Ho, ho, niet zo snel. Ik ben gisteren even bij dat slootje hier achter de school gaan kijken. Daar zie je op sommige plaatsen, aan de rand van de sloot, glibberig spul drijven, met kleine zwarte puntjes erin. Dat glibberige spul noem je kikkerdril. Met een schepnet kun je wat kikkerdril uit het water halen en in een bakje stoppen. En verder moet de emmer met slootwater gevuld worden. We gaan even loten wie dat mogen gaan doen.'

Juf Willeke schrijft iets achter op het bord. 'Een getal onder de dertig...'

Even later stormen Abdoel en Daan met een emmer, een schepnet en een bakje de deur uit.

'Doen jullie wel rustig?' roept juf hen na. Dan pakt ze een stapel schriften. 'Deel jij ze maar even uit, Timo. Dit wordt namelijk jullie kikkerdagboek. Zet allemaal je naam erop en teken er maar een mooie kikker bij. De rest vertel ik straks wel, als Daan en Abdoel weer terug zijn.'

Iedereen is druk aan het tekenen, als de deur opengaat. 'Gelukt,' roept Daan opgewekt. Hij zet de emmer met slootwater voor het bord op de grond. Abdoel komt erachteraan met een bakje vol kikkerdril.

'Het lijkt wel snot,' zegt Joris.

'Wat heb jij nou weer?' roept juf Willeke. Ze kijkt naar Daan, die met een kletsnatte broek in de klas staat te druipen.

'Oh, ik ging even de verkeerde kant op.'

'Ja,' zegt Abdoel. 'Die sukkel liep zomaar de sloot in.'

Daan haalt zijn schouders op. 'Tja, kan gebeuren.'

Juf Willeke pakt hoofdschuddend een oude joggingbroek en een paar versleten gympies uit een kast. Dan pakt ze een handdoek. 'Alsjeblieft. Naar de wc en trek die natte rommel uit. Hang alles maar even over de verwarming.' Daarna moet Abdoel met een dweil de natte plekken in de klas en de gang droogmaken.

Als Daan weer binnenkomt, moet iedereen lachen. De joggingbroek slobbert als een grote tent om hem heen. 'Ja,' zegt hij grijnzend. 'Het is een beetje een soepbroek. Maar hij is wel lekker warm.' Dan gaat hij weer op zijn plaats zitten.

Joris mag de glazen bak vullen. Eerst legt hij wat grind op de bodem en dan giet hij er slootwater bij. Hij doet de plantjes in de bak en daarna het kikkerdril.

'Schrijf maar op,' zegt juf Willeke. 'Dag één. En dan wat we nu gedaan hebben. De komende dagen gaan jullie elke dag kijken of er iets verandert in het dril. Zodra je iets ziet, schrijf je het op in je schrift.'

'Hoe lang moeten we dat eigenlijk doen?' vraagt Lot.

'Totdat we kikkertjes hebben,' zegt juf. 'En dan brengen we ze weer terug naar de vijver, want daar moeten ze tenslotte gaan wonen.'

Als de bel is gegaan, rennen de clubleden uitgelaten het plein op. En daarna gaan ze naar het clubhuis.

'Kijk!' roept Els geschrokken. Ze blijft staan.

'Shit,' mompelt Tom. 'Dat is Bert, met twee van zijn vrienden.'

'Niets van aantrekken,' zegt Lot. 'Gewoon doorlopen.'

Vanaf de andere kant van de straat komen drie jongens op hun fiets aanscheuren. Als ze vlakbij zijn, trappen ze op hun rem en staan ineens met piepende banden stil.

'Doe effe normaal!' zegt Daan kwaad.

'Kun je niet uitkijken?' roept Koen.

De jongens beginnen te lachen. 'Moet je die kleuters horen,' roept een van hen. Hij kijkt minachtend naar de joggingbroek van Daan. 'Wat heb je een schattig broekje aan. Leuk, hoor.'

'Oprotten, jullie!' sneert Bert dan. 'In deze straat horen geen papkinderen zoals jullie.'

'We lopen hier anders elke dag,' zegt Lot.

'Moet je dat stomme kind horen! Ga jij maar gauw naar je moeder. We hebben alleen maar even iets met jullie Tommie te regelen.'

Koen haalt zijn schouders op. 'Laat ze kletsen. Kom op, jongens.' Maar ze kunnen niet verder. Steeds als ze een stap naar voren willen doen, duwt een van de jongens zijn fiets ervoor.

'Laten we maar teruggaan en omlopen,' zegt Tom.

'Kom nou!' roept Koen kwaad. Hij pakt Tom bij zijn arm en doet een stap naar voren.

'Vergeet het maar, jochie,' zegt Bert. Hij rijdt met zijn fiets tegen Tom aan en begint te duwen. Tom geeft de fiets een zet.

'Blijf van mijn fiets af, idioot!' brult Bert. Hij gooit zijn fiets aan de kant en loopt dreigend op Tom af.

Nu wordt Koen rood van drift. 'Laat Tom met rust!' schreeuwt hij. 'Je blijft met je tengels van mijn vriend af!' Hij stormt op Bert af, maar Bert is sneller. Hij schiet als een haas langs Koen heen en haalt met een enorme stomp naar Tom uit.

'Niet vechten!' roept Lot. Maar het is al te laat. Tom struikelt en valt achterover. Zijn hoofd slaat tegen de stoeprand. Akelig wit en stil ligt hij op de grond. Een dun straaltje bloed loopt over de stenen.

'Nee!' gilt Els bang. Ze rent op Tom af en knielt naast hem neer.

'Wegwezen!' roept Bert. De jongens springen op hun fietsen en racen zo hard als ze kunnen de straat uit.

'Wat moeten we nu doen?' vraagt Els snikkend.

'Er moet een dokter komen,' zegt Daan. 'En snel ook.'

'Ik ga al,' roept Koen. Hij rent een tuinpad op en drukt op de bel. Daarna ramt hij wanhopig met twee vuisten op de deur.

Een man met een grote snor doet open. 'Wat is er aan de hand?' vraagt hij een beetje boos.

Hijgend vertelt Koen wat er gebeurd is.

'Ik ga meteen 112 bellen,' zegt de man dan geschrokken. Met grote stappen loopt hij naar binnen. Intussen rent Koen terug naar de anderen.

'En?' vraagt Lot bang.

'Er wordt gebeld,' zegt Koen buiten adem. Hij kijkt naar Tom, die nog steeds bewusteloos op de grond ligt. Els zit zachtjes huilend naast hem. Lot heeft een arm om haar heen geslagen.

De man met de snor komt er nu ook aan. Hij ziet Tom liggen.

43

'Verschrikkelijk,' zegt hij zacht. 'Raak hem maar niet aan. De ziekenwagen is al onderweg.'

In de verte klinkt het gillende geluid van een sirene. Lijkbleek zitten de kinderen naast elkaar. Dan komt de ambulance de straat inrijden, en twee tellen later een politiewagen.

Een man uit de ambulance knielt naast Tom op de grond en voelt aan zijn pols.

'En?' vraagt een van de agenten.

'Meteen naar het ziekenhuis,' zegt de man. Samen met zijn collega legt hij Tom heel voorzichtig op de brancard, en dan schuiven ze hem achter in de ziekenauto.

De leden van de club zien verslagen hoe de wagen langzaam de straat uitrijdt.

Els zit nog steeds huilend op de stoep. Lot probeert haar te troosten. Intussen veegt ze zelf ook een paar tranen weg.

Een van de agenten stapt op Koen en Daan af. 'Kunnen jullie me vertellen wat er nu eigenlijk precies gebeurd is?'

Koen knikt dapper. 'We kwamen gewoon uit school, zoals altijd. En toen...' En dan vertelt hij het hele verhaal.

'Kennen jullie die jongens?'

Daan knikt. 'De jongen die Tom tegen de grond geslagen heeft, is Bert de Vroege.'

Bij het horen van die naam kijken de agenten elkaar meteen even aan. 'En die andere twee?'

'Ik weet niet hoe die jongens heten, maar volgens mij zitten zij ook op basisschool De Heul.'

De andere agent gaat op zijn hurken bij Lot en Els zitten. 'Och, och,' zegt hij. 'Gaat het weer een beetje?'

Els knikt.

'Weten jullie waar Tom woont?'

'Ja,' zegt Lot. 'Hij woont bij mij aan de overkant. Maar dan een stuk verder.'

'Misschien kunnen jullie dan even met ons meerijden. Want we zullen naar zijn huis moeten om zijn ouders te vertellen wat er gebeurd is.'

'Wij gaan met de politiewagen mee om het huis van Tom te wijzen,' zegt Lot tegen de jongens.

'Kom,' zegt de agent. 'Dan gaan we nu meteen. Hier kunnen we toch niets meer doen.'

De andere agent vraagt nog iets aan de man met de snor, en schrijft wat op in zijn boekje. En dan rijden ze weg. Els en Lot zitten samen stil op de achterbank.

'Nog bedankt dat u wilde bellen,' zegt Koen tegen de man met de snor.

'Natuurlijk,' zegt de man. 'En als jullie iets weten over je vriend, wil je het mij dan even komen vertellen?'

'Doen we,' zegt Daan. En dan lopen de jongens zwijgend naar het huis van Tom.

De man met de snor kijkt ze na. 'Verschrikkelijk,' mompelt hij nog eens, als hij het tuinpad weer op loopt.

Twee agenten en een verlossend telefoontje

De moeder van Tom schrikt als ze twee agenten op de stoep ziet staan. 'Wat is er aan de hand?' vraagt ze een beetje ongerust.

'Mogen we even binnenkomen?' vraagt een van de agenten.

'Natuurlijk,' zegt ze. Dan ziet ze Els en Lot ook staan. 'Is er iets met Tom gebeurd?' roept ze.

De agent knikt. Hij vertelt in het kort van de ruzie. 'En toen is Tom met zijn hoofd op de stoep gevallen. Hij is direct naar het ziekenhuis gebracht.'

'Nee!' roept de moeder van Tom geschrokken. 'Wat heeft hij dan? En is het ernstig?'

'Dat weten we niet precies,' zegt de agent. 'Ik denk eigenlijk dat u het beste meteen naar het ziekenhuis toe kunt gaan.'

'Maar ik heb nu geen auto! Mijn man is op zijn werk en het duurt minstens een uur voor hij hier kan zijn.'

'Wij brengen u wel even,' zegt de agent vriendelijk. 'Dan kunt u vanuit het ziekenhuis uw man bellen.' Hij kijkt even naar Els en Lot. 'En jullie... jullie kunnen maar het beste naar huis gaan.'

Els knikt.

'Wilt u ons wel even bellen als er nieuws is?' vraagt Lot.

'Ja,' zegt Toms moeder met trillende stem. 'Zodra ik iets weet, bel ik naar jouw huis.' En dan loopt ze snel met de agenten mee naar de politieauto.

Daan en Koen komen er nu ook aan. Samen met Els en Lot kijken ze hoe de witte auto de straat uit rijdt.

'Kom, we gaan naar mijn huis,' zegt Lot. 'Toms moeder belt zodra ze meer weet.'

'Wat ben je laat!' roept de moeder van Lot een beetje boos. 'Het is al halfvijf. Ik was ongerust.' Dan ziet ze de anderen ook. 'Is er soms iets aan de hand?'

'Tom ligt in het ziekenhuis,' zegt Lot. Ineens begint ze te snikken.

'Wát?' roept Lots moeder geschrokken. 'Wat is er gebeurd?'

Koen vertelt het hele verhaal. Dat ze naar huis liepen, dat Bert met twee vrienden aan kwam fietsen, dat ze er niet door mochten, en dat Bert Tom toen tegen de grond geslagen heeft.

De moeder van Lot schudt haar hoofd. 'Wat afschuwelijk!'

'Ja,' roept Daan kwaad. 'Die stomme Bert de Vroege. Ik zou hem het liefste ook met zijn kop tegen de stoep slaan!'

'Doe niet zo stom,' zegt Els boos. 'Die ruzie moet gewoon een keer stoppen.'

'Hoe dan?' vraagt Daan agressief. 'Kom op dan, als jij het allemaal zo goed weet... Nou, als Tom doodgaat, schop ik die gozer helemaal in elkaar!'

'Doodgaat?' fluistert Els bang. Ze begint meteen weer te huilen.

'En nu is het klaar, Daan!' zegt de moeder van Lot streng. 'We gaan de ruzie niet nog erger maken dan hij al is. En misschien valt het met Tom allemaal nog mee.' Ze denkt even na. 'Weten jullie ouders eigenlijk dat jullie hier zijn?'

De kinderen kijken elkaar aan. 'Helemaal vergeten,' zegt Koen. 'Ze zullen ook wel ongerust zijn.'

'Dat denk ik ook. Als jij wat te drinken regelt, Lot, dan zal ik ze wel even bellen om het uit te leggen.' Ze loopt meteen naar de telefoon.

47

'Niet doen!' roept Koen paniekerig. 'Dan kan de moeder van Tom ons niet bellen.'

'Je hebt gelijk. Stom van me. Dan bel ik jullie ouders met mijn mobiel. Ik doe dat boven wel even.'

Een kwartiertje later komt de moeder van Lot weer binnen. 'Ik heb iedereen gebeld. We hebben afgesproken dat jullie voorlopig hier blijven totdat we iets van Toms moeder hebben gehoord.'

Het is akelig stil in de kamer. Langzaam kruipen de minuten voorbij.

'Zal ik wat boterhammen voor jullie smeren?' vraagt de moeder van Lot na een tijdje.

Koen en Daan schudden hun hoofd.

'Nee, dank u,' zegt Els. En ook Lot heeft geen trek.

Plotseling gaat de telefoon. De kinderen kijken elkaar verschrikt aan. Lot springt overeind.

'Nee,' zegt haar moeder. 'Ik neem hem.' Ze loopt snel naar de telefoon en pakt hem op. Gespannen blijven de kinderen op de bank zitten luisteren.

'Wat fijn dat je belt... Hoe gaat het? En wat zei de dokter? Oh, gelukkig... Ja, natuurlijk! Als ik iets voor je kan doen, moet je het zeggen. Je kunt me altijd bellen... In elk geval fijn dat je man nu bij je is... Ja, de kinderen zijn hier. Ik zal het ze allemaal vertellen. Heel veel sterkte, ook voor Tom!'

Dan legt ze het toestel weer neer. 'Nou, volgens de dokter valt het nog mee. Tom heeft wel een lelijke wond op zijn hoofd. Die is inmiddels gehecht. En waarschijnlijk heeft hij een zware hersenschudding. Vannacht blijft hij in het ziekenhuis, en als dat

goed gaat, mag hij morgen naar huis. Maar hij zal wel een tijd-je heel rustig aan moeten doen. Hou er maar rekening mee dat hij voorlopig niet naar school kan. Maar... volgens de dokter komt het allemaal weer helemaal in orde.'

'Gelukkig,' zegt Els zacht. Ze begint weer te huilen, maar dit keer van opluchting.

De moeder van Lot loopt naar haar toe. 'Och, meisje. Ja, het is ook niet niks. Voor jullie allemaal niet. Maar het is zo vreselijk fijn dat het weer goed komt met Tom. Daar moeten we maar steeds aan proberen te denken.'

'Ja,' zegt Koen. 'Ik kan het bijna niet geloven, maar ik ben toch ook heel blij.'

'Willen jullie nu soms wél iets eten?' vraagt de moeder van Lot.

'Ik wel,' zegt Lot. De anderen knikken. Iedereen heeft ineens best trek.

'Willen jullie brood met pindakaas of zal ik de frituurpan aanzetten? Daan, jij mag kiezen.'

Daan wordt een beetje rood. 'Nou... als ik echt mag kiezen...'

'De frituurpan dus,' zegt Lots moeder lachend. 'Bellen jullie je ouders maar even om het nieuws te vertellen, dan ga ik naar de keuken. Hier is mijn mobiel, dan kunnen er twee tegelijk bellen. Hoe eerder ze het goede bericht horen, hoe beter het is.'

Een verdrietige Els en een lege stoel

Els kan die avond niet slapen. Steeds opnieuw ziet ze voor zich hoe Tom tegen de stoep smakt en doodstil blijft liggen. Ze ligt maar te draaien en te woelen.

'Kun je niet slapen?' fluistert een stem. Het is de vader van Els.

'Nee,' zegt Els. 'Ik ben zo verdrietig. En ook zo bang!'

'Kom maar naar beneden. Dan kom je even bij ons zitten. Ik snap best dat je er steeds aan moet denken. Maar je moet niet vergeten dat de dokters hebben gezegd dat het allemaal echt weer goed komt.'

'Weet ik,' zegt Els. 'Maar... ik ben bang dat het nog eens gebeurt. Die Bert is altijd zo vals. Hij pest Tom al jaren.'

'Ik denk dat de politie wel een stevig gesprek met hem zal hebben. Dat zal vast helpen.'

'Ik hoop het maar,' zegt Els zacht. 'Want ik vind Tom zo lief. Hij is de liefste van ons allemaal. Dat dit nu juist met hém moest gebeuren...'

'Ach schat, kom maar gauw hier,' zegt Els' moeder, als haar dochter de kamer binnen stapt.

Els knikt. Ze kruipt lekker naast haar moeder op de bank.

'Sinas?' vraagt haar vader.

'Graag,' zegt Els.

'En jij?'

'Doe mij maar een glas wijn,' zegt de moeder van Els.

De volgende morgen praat iedereen op het schoolplein over Tom. Het nieuws gaat in een mum van tijd rond.

Koen stapt als eerste de klas binnen. 'Tom ligt in het ziekenhuis,' zegt hij tegen juf Willeke.

'Ja, ik weet het. Het is vreselijk! We zullen het er zo in de klas over hebben.'

Langzaam stroomt de klas vol. Uiteindelijk zijn alle plaatsen bezet. Alleen de stoel van Tom blijft leeg.

'Zullen we beginnen?' vraagt juf Willeke. 'Ik neem aan dat jullie inmiddels allemaal gehoord hebben wat er gisteren is gebeurd.' De klas mompelt instemmend.

'Vanmorgen heb ik de moeder van Tom nog aan de telefoon gehad. Het is goed gegaan vannacht. Ze hebben Tom voor de zekerheid om de paar uur even wakker gemaakt om te con-

troleren of hij goed bij kennis was. En om tien uur mogen zijn ouders hem weer mee naar huis nemen.'

Er gaat een zucht van verlichting door de klas heen.

'Maar,' gaat juf verder. 'Hij mag nog geen bezoek hebben. Hij moet zoveel mogelijk uitrusten en in bed blijven.'

'Maar we kunnen toch wel een cadeautje brengen?' roept Abdoel.

'Nee,' zegt juf Willeke. 'Voorlopig even niet. Morgen ga ik even om een hoekje kijken, maar verder moet Tom veel rust hebben. Tussen de middag zal ik een leuke kaart gaan kopen. Dan kunnen jullie daar allemaal je naam op zetten en dan neem ik die morgen mee. Dan kunnen we later wel een mooi cadeau voor hem bedenken.'

'Een konijn!' roept Fien.

'Of een boek over voetballen,' roept Daan.

Iedereen begint nu door elkaar te roepen.

'Maar wat gebeurt er nu met die Bert?' vraagt Joris, als het weer stil is.

Juf Willeke zucht: 'Ik zou het niet weten. Ik heb begrepen dat de politie bij hem thuis is geweest. Maar wat er precies gebeurd is, weet ik ook niet.'

'We wachten hem gewoon een keer op als hij uit school komt,' zegt Abdoel. 'En dan zullen we hem eens terugpakken. De rotzak.'

'Als je het maar uit je hoofd laat,' zegt juf. 'Op die manier maak je het alleen maar erger.'

'En als die Bert dan zelf weer begint te klieren?' vraagt Daan opstandig.

'Dan kom je maar bij mij. Ik wil niet dat er nog méér kinderen in het ziekenhuis terechtkomen.'

Abdoel en Daan pruttelen nog een beetje na.

'Begrepen?'

De jongens knikken.

'Hopelijk is Tom over een paar weken weer op school,' zegt juf.

'Mogen we dan de klas versieren?' vraagt Daan.

'Goed idee! Dan mag jij *Chef Slingers en Ballonnen* zijn.' Juf Willeke denkt even na. 'Eigenlijk moet ik jullie nóg iets vertellen. Over een paar maanden is er namelijk weer een feestje, want dan gaan Jan-Jaap en ik trouwen.'

Nu gaat er een enorm gejoel op in de klas. Juf Willeke moet erom lachen. 'Ja, ja,' zegt ze. 'We hebben de datum extra vroeg gepland. Nog net voor de zomervakantie, zodat jullie er allemaal bij kunnen zijn. Tenslotte heeft Jan-Jaap mij in jullie bijzijn ten huwelijk gevraagd.'

'Ja,' zegt Fien. 'Wat was dat leuk, hè? Toen hij verstopt zat in de magische doos en niemand dat wist...'

'Behalve Tom, Koen en ik!' roept Daan trots. 'En Jan-Jaap zélf natuurlijk.'

'Nou,' zegt Lot een beetje beledigd. 'Els en ik wisten het anders ook.'

'Ja,' roept Daan. 'Maar niet dat er een stuk en een foto in de krant zouden komen, want dat wisten alleen Tom, Koen en ik.'

'Dat is waar,' zegt juf. 'In elk geval was het de allerleukste verjaardag die ik op school heb meegemaakt, en jullie hebben er met z'n allen een fantastisch feest van gemaakt. Maar nu gaan we aan het werk, want we moeten natuurlijk nog wel het een en ander doen vandaag.'

'Zeg, juf,' zegt Joris. 'We kunnen misschien beter maar níét gaan werken.'

'Hoezo?' vraagt juf Willeke verbaasd.

'Nou ja, dan raakt Tom niet zo achter.'

Juf begint te proesten van het lachen. 'Leuk geprobeerd, Joris. Maar we kunnen moeilijk een paar weken niets doen. En maak je maar geen zorgen over de achterstand die Tom oploopt. Dat regelen we later wel.'

'Oh,' zegt Joris een beetje teleurgesteld. En dan gaan ze aan de slag.

Als de kinderen die middag naar het clubhuis lopen, is buurman Bol in de tuin aan het werk.

'Hebt u het al gehoord van Tom?' vraagt Koen.

'Nee. Wat is er dan aan de hand?'

Lot vertelt hem wat er gebeurd is.

'Wat afschuwelijk,' zegt buurman Bol. 'En dat was dus weer diezelfde jongen? Die Bert de Vroege?'

'Ja,' zegt Daan. 'Het is gewoon een rotjoch. Altijd al geweest.'

De buurman schudt bezorgd zijn hoofd. 'Ik had echt gehoopt dat dat gedonder afgelopen zou zijn. Toen hij het raam van het clubhuis had ingegooid, ben ik nog met meneer Dijkemans, de directeur van De Heul, gaan praten. Die zou het in de gaten houden, maar dat heeft dus niet geholpen.' Hij kijkt stil voor zich uit. 'Wat erg,' mompelt hij. 'Denken jullie dat ik zijn ouders kan bellen om te horen hoe het gaat?'

'Vast wel,' zegt Els. 'Ik wil ook graag weten hoe het nu met hem is.'

'Dan ga ik nu bellen,' zegt buurman Bol. 'Daarna kom ik wel even bij jullie langs.' Hij loopt naar de achterdeur, trekt zijn laarzen uit en gaat naar binnen.

'Het gaat niet echt slecht,' zegt buurman Bol als hij terugkomt. 'Ik heb net zijn moeder gesproken. Tom moet veel rust houden, maar het komt weer helemaal goed. En ik moest jullie vooral de hartelijke groeten doen en zeggen dat jullie schatten zijn.'

'Klopt,' zegt Daan.

De buurman lacht. 'Als de schatten iets willen drinken, dan moeten ze maar even meelopen.' Even later zitten ze met z'n allen aan de grote keukentafel. 'Best jammer dat Tom nu het kikkerproject mist,' zegt Koen. 'Dat had hij vast leuk gevonden.'

'Kikkerproject?' vraagt buurman Bol.

Els vertelt van de bak met slootwater en kikkerdril in de klas, en van hun kikkerdagboek.

'Dat is inderdaad ontzettend leuk,' zegt de buurman. 'Maar misschien kan Tom dat dan thuis ook doen... Momentje.' Hij loopt de trap op en komt na een tijdje terug met een klein aquarium. 'Hij is wel een beetje smerig, maar je kunt hem schoonmaken. Dan kunnen jullie hem aan Tom geven, zodra je naar hem toe mag.'

'Dat zal hij geweldig vinden!' zegt Els blij. 'Ik ga meteen aan het werk.'

'Maar geen zeep gebruiken, hoor,' zegt buurman Bol. 'Daar kunnen kikkervisjes niet zo goed tegen. In het keukenkastje ligt nog een schone spons. Je kunt gewoon voorzichtig poetsen, met veel water. Dan komt het wel goed. En misschien kunnen de anderen intussen wat grind op het tuinpad zoeken. Hier is een bakje. Zoek maar zo veel mogelijk witte, gladde steentjes.'

Het duurt niet lang of ze zijn allemaal druk bezig. Glimlachend ziet buurman Bol hoe fijn de kinderen het vinden dat ze nu in elk geval iets voor Tom kunnen dóén.

Een kikkercadeau en mail van Peter

Eindelijk is het zover. De moeder van Tom heeft gebeld om te zeggen dat de leden van de club vanmiddag even langs mogen komen. 'Maar niet te lang, hoor,' zei ze. 'Want Tom is nog erg moe.' En nu staan ze dus met zijn vieren voor de deur.

'Kom binnen,' zegt Toms moeder hartelijk. 'Tom ligt in bed, maar hij zal het zo leuk vinden om jullie even te zien.' Dan ziet ze dat Daan een groot pak bij zich heeft. 'Wat hebben jullie meegebracht?' vraagt ze verbaasd.

'Verrassing,' zegt Lot.

'Wat leuk! Ik ben benieuwd. Kom maar gauw mee. Anders vraagt Tom zich nog af waar jullie blijven.'

'Hoi,' zegt Tom, als ze de kamer binnen komen.

'Hoe is het?' vraagt Koen.

'Gaat best,' zegt Tom. 'Ik ben alleen nog zo moe. En als ik een poosje op ben, krijg ik hoofdpijn. Maar verder gaat het wel. Hoe is het op school?'

'Goed,' zegt Lot. 'Een beetje saai zonder jou.'

'Maar het kikkerproject is erg leuk,' zegt Daan opgewekt.

'Ja, dat zal best,' zegt Tom. 'Jammer dat ik daar niet bij kan zijn.'

Lot lacht. 'En daarom hebben we een cadeautje.'

Daan maakt het pak open en haalt het aquarium tevoorschijn. 'Als je moeder het goed vindt, komen we aan het eind van de middag nog wel wat slootwater en plantjes en wat kikkerdril

brengen. Het grind zit er al in. Dan kun jij hier thuis ook zien wat er gaat gebeuren.'

'Mag het?' vraagt Tom.

'Ik vind het prima,' zegt zijn moeder lachend. 'Als ze maar niet gaan rondspringen, want ik ben nu niet bepaald dol op kikkers.'

'Als ze lastig worden, brengen we ze wel weer naar de sloot,' belooft Daan.

'Nu moeten jullie maar weer gaan,' zegt de moeder van Tom na een tijdje. 'Als jullie straks de spullen brengen, maakt mijn man het aquarium wel in orde.'

'Afgesproken,' zegt Koen. 'Kom jongens, we gaan.'

'Dag, Tom,' roept Els nog snel naar boven.

'Dag,' roept Tom terug.

Samen lopen de kinderen naar het clubhuis. 'Het gaat best goed met Tom,' zegt Daan vrolijk.

'Nou...' zegt Els aarzelend. 'Ik vind hem er zo bleek uitzien.'

'Dat hoort erbij,' vindt Lot. 'Als hij over een tijd naar buiten mag, gaat hij er weer net zo gezond uitzien als wij.'

'Wat zullen we gaan doen?' vraagt Daan, als ze het clubhuis binnenstappen.

'Geen idee,' zegt Koen. 'We moeten even zorgen dat we een emmer hebben en een bakje om straks wat slootwater en kikkerdril naar Tom te brengen.'

'En de ijskast mag trouwens ook wel eens schoongemaakt worden,' zegt Lot. 'Er liggen nog een paar zwaar beschimmelde boterhammen in. Niet echt fris.'

'Doen jullie dat dan,' zegt Daan. 'Wij gaan dat slootwater en die kikkerdril wel regelen.' 'Mooi,' zegt Els. 'Ik ben benieuwd of je droog terugkomt.'

Als de clubleden alles geregeld hebben en in hun clubhuis zitten, zwaait de deur ineens open. Janneke stapt samen met Bas en André naar binnen.

'We hebben een taart gebakt!' roept André.

'En ik is gevallen,' zegt Bas. 'Maar doet geen pijn, hoor.' Hij slaat heel hard met zijn vuist op zijn knie. 'Is al over.'

'Ja,' zegt Janneke. 'Is al over. Maar eerst wil ik even weten of jullie nog iets van Tom hebben gehoord.'

'We zijn er net geweest,' zegt Els. 'Hij ziet er nog niet zo goed uit, maar toch was hij al best opgewekt.'

'Gelukkig,' zegt Janneke. 'Een pak van mijn hart. Ik schrok vreselijk toen ik van je moeder hoorde wat er gebeurd was. Maar gelukkig gaat het de goede kant op.' En dan zet ze een prachtige appeltaart op tafel. 'Voor jullie. Omdat jullie ons zo ontzettend goed geholpen hebben.'

'Oh, wat lekker,' roept Lot.

Janneke lacht. 'Dubbel en dwars verdiend. Ik ben er zo blij mee. En van Peter heb ik via de mail een brief aan jullie gekregen. Voor iedereen die geholpen heeft, heb ik er één uitgeprint.'

Lieve mensen,

Per mail wil ik jullie ontzettend hartelijk bedanken voor wat jullie allemaal gedaan hebben. Ik wist werkelijk niet wat ik las. Wat geweldig dat jullie ons op deze manier geholpen hebben. Het is een wonderlijk idee dat we net in een nieuw huis wonen, en dat nu al blijkt dat we zo veel schatten om ons heen hebben. En het voelt ook best een beetje gek om een brief te schrijven aan mensen die je nog nooit gezien hebt.

Ik vond het in één woord verschrikkelijk dat ik Janneke en de kinderen door mijn werk in zo'n puinhoop achter moest laten. Maar ik kan jullie verzekeren dat ik nu heel wat beter slaap dan ik die eerste week van de reis gedaan heb. Als ik weer thuis ben, ga ik voor jullie een heerlijke barbecue organiseren, want dat hebben jullie met z'n allen wel verdiend.

Met een hartelijke groet!
Peter

'Wat een lieve brief,' zegt Els. 'En wanneer komt hij terug?'
'Pas over een week of zes,' zegt Janneke. 'En het is echt heerlijk dat ik niet al die tijd in de rommel hoef te zitten.'
'Dat snap ik,' zegt Daan. 'Mijn kamer ligt altijd vol troep en dat vindt mijn moeder ook niet echt leuk.'
'Je zou het misschien op kunnen ruimen,' zegt Janneke lachend.
'Ja,' knikt Daan, al etend van zijn taart. 'Dat kan ik misschien wel eens doen.'
'Ik hoop wel dat Tom dan weer beter is,' zegt Koen. 'Anders kan hij niet bij de barbecue zijn.'
'Natuurlijk is hij dan weer beter,' zegt Janneke. 'En anders stellen we het uit. Want we doen het natuurlijk niet zonder Tom. Over een poosje bak ik trouwens nog een appeltaart en die is dan helemaal alleen voor hem.'
'Ja,' zegt Daan. 'En voor zijn beste vriend natuurlijk.'
'En wie ís dat?' vraagt Janneke.
Daan lacht. 'Ik natuurlijk. De man die zo van appeltaart houdt.'

Een broek vol verf en een spannende ontmoeting

Het is vrijdag. De clubleden staan in de pauze bij elkaar op het plein.

'Lekker,' zegt Els. 'Bijna weekend. Zullen we vanmiddag gaan slagballen op het veld?'

'Ik kan niet,' zegt Daan, 'want ik heb straf.'

'Hoezo?' vraagt Koen.

'Ik mocht gisteren het tuinhek zwart schilderen. Maar toen ik mijn vaders fiets zag staan, heb ik zijn zadel ook meteen geverfd. Er zaten allemaal kale plekken op, en ik had die kwast toch nog in mijn hand.'

'Nou,' zegt Lot. 'Dat is toch alleen maar aardig?'

Daan haalt zijn schouders op. 'Ja, maar 's avonds wilde de auto niet starten en toen rende mijn vader naar de schuur en sprong op zijn fiets.'

'En toen?'

'De verf was nog niet droog,' zegt Daan bokkig. 'En toen is hij vol vlekken op zijn achterwerk naar een vergadering gegaan. Nou, ik heb hem nog nooit zo kwaad gezien!'

Lot en Els beginnen te gieren van het lachen.

'Poep op,' zegt Daan. 'Zo leuk was het anders niet, want vanmiddag moet ik voor straf binnen blijven. Ze vinden dat ik maar eens wat beter moet gaan nadenken.'

'Zal ik dan bij jou komen?' stelt Koen voor.

'Als dat mag...'

'Ik loop gewoon met je mee,' zegt Koen. 'En dan vraag ik het wel aan je moeder.'

'Fijn,' zegt Daan opgelucht. 'We kunnen het natuurlijk altijd proberen.'

Dan gaat de bel. Als iedereen naar de gang gaat, trekt Lot Koen even aan zijn mouw. 'Hé,' fluistert ze. 'Vergeet je niet dat we vanavond na het eten naar het gemeentehuis moeten?'

Koen schudt zijn hoofd. 'Nee, natuurlijk niet,' zegt hij zacht. 'Vanavond om kwart voor zeven ben ik bij je.'

Die avond zitten Koen en Lot samen achter het muurtje op de stenen trap voor het stadhuis. Schuin aan de overkant van de straat is restaurant De Gouden Leeuw.

'Zie jij al wat?'

Lot tuurt over het muurtje heen. 'Niks,' zegt ze dan. Ze kijkt op haar horloge. 'Maar het is ook nog maar vijf voor zeven.'

'Bukken!' sist Koen. 'Daar komt buurman Bol aan.'

Lot begint te proesten. 'Wat ziet hij er netjes uit. Zo heb ik hem nog nooit gezien!'

Voor het restaurant blijft de buurman even staan. Hij kijkt om zich heen en gaat dan naar binnen. Even later zien de kinderen een stevige, oude dame aankomen. Ze heeft een joekel van een boodschappentas bij zich. Het lijkt wel alsof ze kwaad is. Met grote stappen loopt ze in de richting van De Gouden Leeuw. Ze zwaait de deur open en gaat naar binnen.

Koen en Lot kijken elkaar aan. 'Zou dat die Marijke zijn?' vraagt Lot verschrikt.

'Dat mag ik toch niet hopen,' bromt Koen.

Ze blijven nog een tijdje wachten, maar ze zien niemand meer het restaurant in gaan.

Als ze een beetje teleurgesteld naar huis lopen en de hoek om gaan, botst Lot tegen een vrouw op. 'Oh, sorry!' roept de vrouw geschrokken. 'Mijn schuld. Ik liep ook veel te hard. Heb je je pijn gedaan?'

'Nee, hoor.'

'Gelukkig,' zegt de vrouw opgelucht. 'Maar, eh... ik ben al te laat, dus ik ga gauw verder. Wat ben ik toch een stommerd. Sorry, hoor!' En dan loopt ze haastig verder.

'Wat een grappig mens,' zegt Lot. Samen kijken ze de leuke vrouw na, en zien dat ze het restaurant binnen gaat. Koen begint te lachen. 'Dat móét Marijke zijn.'

'Ja,' zegt Lot blij. 'Ik weet het wel zeker. Wat is ze leuk, hè?'

Intussen zit buurman Bol een beetje nerveus aan een tafeltje te wachten.

'Wilt u iets drinken?' vraagt een ober.

'Drinken? Ja, eh... nee...' stamelt buurman Bol. 'Ik wacht nog op iemand, ziet u.'

'Ik begrijp het,' zegt de ober glimlachend. 'Dan kom ik zo nog wel even terug.'

Op dat moment vliegt de deur van het restaurant open. Hijgend stapt een charmante vrouw naar binnen en ze kijkt om zich heen.

'Zoekt u iemand?' vraagt de ober.

'Ik zoek een man met een rood-blauw gestreepte das,' zegt de vrouw.

'Aha!' De ober wijst lachend naar buurman Bol. 'Kijk, dat is vast die meneer daar.'

Buurman Bol staat een beetje verlegen op.

'Sorry,' zegt de vrouw. 'Ik ben een beetje te laat. Ik dacht eerst: ik durf niet, en toen dacht ik: dát kan niet. Afspraak is afspraak. En, eh... nou ja, hier ben ik dus.'

Buurman Bol steekt hartelijk zijn hand uit. 'Geeft niks. Leuk dat je er bent. Ik ben Hans. Hans van Barneveld.'

'En ik ben dus Marijke.'

'Zal ik uw jas even weghangen?' vraagt de ober. 'En wat kan ik voor u inschenken?'

'Koffie graag.'

'Dat wordt dan twee koffie,' zegt buurman Bol.

Marijke lacht. 'Daar zitten we dan. Wel een beetje raar, hè? Hoe zullen we het doen? Zal ik eerst nog iets over mezelf vertellen? Of wil jij liever beginnen?'

'Nee hoor, vertel jij maar. Ik zou graag eens iets over je kinderen horen.'

'Goed. Dat is leuk. Nou, mijn dochter is dertig. Ze is getrouwd en heeft twee dochtertjes, en ik heb ook nog een zoon van achtentwintig, en die gaat over een paar maanden trouwen.'

'Geweldig,' zegt buurman Bol.

'Zeg dat wel. Daar ben ik heel blij mee. Die jongen heeft het vreselijk moeilijk gehad toen mijn man overleed. Hij miste zijn vader zo vreselijk. Er was echt geen land meer met hem te bezeilen. Het was in één woord afschuwelijk. Hij wilde zelfs met zijn studie stoppen.'

'En is het uiteindelijk toch weer goed gekomen?'

'Gelukkig wel,' zegt Marijke. 'Hij had een ontzettend fijne vriend. Die jongen heeft hem nooit in de steek gelaten, hoe moeilijk dat soms ook was. En nu heeft hij ook nog een lief meisje gevonden.'

'De koffie,' zegt de ober. Hij zet de kopjes op tafel en verdwijnt weer.

'Waar was ik ook alweer gebleven?' vraagt Marijke.

'Dat je zoon ging trouwen,' zegt buurman Bol vriendelijk.

'Oh ja. Met een schat van een meid. Ik ben dol op haar. Ze staat voor de klas. Ook een lieve klas, trouwens. Die kinderen hebben namelijk geholpen toen mijn zoon haar ten huwelijk ging vragen. Vooral een paar kinderen die samen een club hebben.'

Dat zal toch niet wáár zijn? denkt buurman Bol verbaasd. Hij staart even voor zich uit.

'Luister je nog wel?' vraagt Marijke lachend.

'Jawel... jawel,' stamelt buurman Bol een beetje geschrokken. 'Sorry, ik moest ineens aan iets denken. Maar, eh... je zei iets over een club.'

'Ja,' zegt Marijke. 'Een paar kinderen hebben een club. Ergens bij ene buurman Bol. Een oudere man, heb ik begrepen.'

'Erg oud?' vraagt buurman Bol.

'Ja,' zegt Marijke. 'Dat dacht ik wel. Hij heeft in elk geval een tuinhuisje, en dat mogen de kinderen gebruiken als clubhuis.'

'Verschrikkelijk,' zegt buurman Bol geschokt. 'Kan zo'n man eindelijk van zijn rust genieten en dan wil hij zo'n stelletje druktemakers in zijn tuin hebben. Wat een sukkel.'

'Nou,' zegt Marijke verbaasd. 'Ik vind het juist hartstikke leuk. Ik ben dol op kinderen!'

Dan begint buurman Bol te bulderen van het lachen.

'Wat is er? Zeg ik iets raars?' vraagt Marijke een beetje onzeker.

'Nee, hoor. Maar zal ik je dan nu eens een geheim vertellen? Hou je vast, Marijke! Want die oude man, dat ben ik. En dat clubhuis staat in mijn tuin.'

'In jóúw tuin?' roept Marijke. Ze kijkt buurman Bol met grote ogen aan. 'Dat geloof ik niet. Je houdt me gewoon voor de gek!'

'Echt niet,' zegt de buurman beslist. 'Koen en Lot, de kinderen die dat oproepje op internet hebben gezet, horen bij die club. En als het goed is, heet jouw zoon Jan-Jaap, en die ken ik toevallig heel goed. Ik weet precies hoe ze Jan-Jaap tijdens de verjaardag van juf Willeke op school uit de magische doos hebben getoverd, zodat hij haar ten huwelijk kon vragen. En ik weet ook dat de jongens van de club geregeld hebben dat er een stuk en een foto in de krant kwamen te staan.'

Marijkes mond valt open van verbazing. 'Klopt allemaal,' zegt ze na een poosje. 'Maar ik snap er niets van, want die man heet toch Bol? Jan-Jaap had het echt over buurman Bol.'

'Zo noemen Koen en Lot me al van jongs af aan,' zegt buurman Bol. 'En de andere kinderen automatisch ook. Maar ja, je weet het: ik heet dus Van Barneveld.'

Marijke zucht eens diep. 'Wat een toeval. Het is gewoon niet te geloven!'

En dan beginnen ze allebei te proesten.

'Wil jij een wijntje?' vraagt buurman Bol, als ze uitgelachen zijn.

'Graag, Hans,' zegt Marijke vrolijk. 'Want ik geloof dat wij elkaar nog heel veel te vertellen hebben...'

De volgende dag gaan Koen en Lot naar buurman Bol om te vragen hoe het gegaan is.

'Het was ontzettend gezellig,' zegt buurman Bol. 'Marijke is erg leuk, en ze ziet er ook nog eens heel lief uit.'

'Ja,' zegt Lot enthousiast. 'Dat vond ik nou ook!'

'Hoe weet jíj dat nou?' vraagt buurman verbaasd.

Lot schrikt en wordt een beetje rood. Koen werpt haar een nijdige blik toe.

'Oh, eh... dat wéét ik natuurlijk niet, maar ik vond de mail die ze naar ons gestuurd had ook al zo lief.'

Buurman Bol lacht. 'Ja, dat klopt. In elk geval hebben we weer een nieuwe afspraak gemaakt. Maar niet over praten, hoor. Je weet tenslotte nooit hoe zoiets verdergaat.'

'Nee,' zegt Koen. 'We zullen het aan niemand vertellen.'

Een belangrijk gesprek en telefoon voor Jan-Jaap

Het is alweer twee weken later. Tom zit lekker op bed te lezen, terwijl de zon zijn kamer in schijnt. Het gaat stukken beter met hem. Boven zijn bed hangen talloze kaarten en briefjes. En in het kleine aquarium dat in de vensterbank staat, is veel gebeurd. De zwarte puntjes in het glibberige kikkerdril zijn veranderd in kleine bolletjes met een staartje. Al zwemmend bewegen ze zich door het water. Bij sommige is het eerste begin van de achterpootjes al te zien. Tom heeft er al vaak naar gekeken.

Dan hoort hij zijn moeder van beneden roepen: 'Er is iemand voor je, Tom!'

Even later stapt Jan-Jaap de kamer binnen. 'Hoi,' zegt hij lachend. 'Hoe is het met je?'

'Goed,' zegt Tom. 'Volgende week mag ik weer halve dagen naar school.'

'Geweldig,' zegt Jan-Jaap. 'Dan mag je niet klagen.'

Tom blijft even stil. 'Nee.'

'Je kijkt anders niet zo heel blij,' merkt Jan-Jaap voorzichtig op. Tom slikt. 'Ik ben wel blij. Maar, eh... ik ben bang dat het nog eens gebeurt. Dat die Bert gewoon niet ophoudt....'

Jan-Jaap staart een poosje uit het raam. 'Ja,' zegt hij dan. 'Ik snap het. Maar... zal ík eens met die jongen gaan praten? Als je ouders dat goedvinden, tenminste. Dat zal ik straks meteen even vragen. Ik weet wel dat de politie met Bert gesproken heeft. Maar misschien kan ik toch iets meer bereiken omdat ik

69

nog wat jonger ben, en, eh... misschien ook omdat ik geen po-
litieagent ben.'
'Zou het helpen?' vraagt Tom hoopvol.
'Weet ik niet,' zegt Jan-Jaap. 'Maar ik kan het allicht proberen.'

De volgende dag komt Jan-Jaap terug.
'Je hebt alweer bezoek,' zegt Toms moeder.
'Klopt,' zegt Jan-Jaap 'Daar ben ik weer.' Hij pakt een stoel en
zet hem wat dichter bij de bank, zodat hij vlak bij Tom en zijn
moeder zit.
'En?' vraagt Tom gespannen.
'Je ouders weten het al, maar ik ben gisteravond bij Bert geweest,' zegt Jan-Jaap. 'Hij vindt het echt verschrikkelijk wat hij
gedaan heeft. Hij droomt er nog elke nacht van. Bert heeft het

ook niet zo gemakkelijk. Zijn vader is van de ene op de andere dag weggegaan toen hij klein was. En Bert heeft nooit meer iets van hem gehoord. Eigenlijk is hij heel erg jaloers op jou.'

'Op mij?' roept Tom uit.

'Op jou, ja. Omdat iedereen je aardig vindt, en omdat je vrienden hebt... En, eh... eigenlijk ook omdat jij wél een vader hebt.'

'Oh,' zegt Tom een beetje geschrokken.

'Ja,' gaat Jan-Jaap verder. 'Hij heeft heel veel spijt en hij wil er alles aan doen om het weer goed te maken. Maar ja, dat is niet zo gemakkelijk, want hij durft niet zo goed.'

'Nee,' zegt Tom zacht.

'En nu wil ik je iets vragen. Maar je moet heel eerlijk zeggen wat je ervan vindt.'

'Zal ik doen.'

'Nou... Bert vindt het dus wel ontzettend eng, maar hij wil je toch heel graag zélf vertellen hoe het hem spijt. Zou je het misschien goedvinden als hij morgenavond met me mee komt? Maar luister goed, Tom! Jij bent de baas. Als jij het niet wilt, gebeurt het niet.'

Tom kijkt naar zijn moeder, die met tranen in haar ogen naast hem zit. 'Wat vind jij?' vraagt hij.

'Je moet het zelf beslissen,' antwoordt zijn moeder.

Tom staart een tijdje uit het raam. Dan haalt hij diep adem en zegt: 'Laat hem dan maar komen. Hij is eigenlijk een stuk zieliger dan ik.'

Toms moeder knikt.

Jan-Jaap moet even slikken. 'Tom, je bent in één woord een kanjer. Als ik ooit... ja, als ik ooit nog eens een zoon krijg... Nou... dan hoop ik dat hij op jou lijkt.'

71

Als Jan-Jaap even later opgelucht naar zijn auto terugloopt, gaat zijn mobiel af.

'Met Jan-Jaap... Ha, die mam... Of ik vanavond even langs kan komen? ... Samen met Willeke? ... Ja, dat denk ik wel. Een uur of acht? ... Hoezo, groot nieuws? ... Toch niet iets ergs? ... Oh, gelukkig! Nou, ik ben benieuwd... Ja, tot vanavond!'

Een wonderlijke avond en een prachtig slot

'Nou, daar zijn we dan,' zegt Jan-Jaap, als hij die avond met Willeke bij zijn moeder binnen stapt. 'Wat is het grote nieuws?'
'Gaan jullie eerst even zitten,' zegt Marijke een beetje nerveus.
'Nou, vertel op!'
'Tja,' zegt Marijke. 'Ik weet eigenlijk niet zo goed hoe ik moet beginnen.'
'Zo erg kan het toch niet zijn?' vraagt Willeke lachend.
Marijke haalt diep adem. 'Ik, eh... ik heb iemand ontmoet...'
Jan-Jaap en Willeke kijken elkaar aan. Dan beginnen ze te lachen. 'Wat leuk voor je!' zegt Jan-Jaap. 'Hoe heet hij?'
'Hans. En ik geloof dat je hem wel kent.'
'Toch niet die man met die snor bij de slager, hè?' zegt Jan-Jaap plagerig.
'Ben je gek,' roept Marijke. 'Nee, zeg!'
'Maar wie is het dan?'
'Hij heet Hans van Barneveld.'
Jan-Jaap denkt na. 'Nooit van gehoord. Waar woont hij?'
'Hier vlakbij,' zegt Marijke. 'Maar, eh... je bent dus niet boos?'
'Boos?'
'Nou ja, dat zou toch kunnen? Stel dat het wat wórdt...'
'Mam,' zegt Jan-Jaap dan lief. 'Ik wil alleen maar dat je gelukkig bent. Ik weet hoeveel je van papa hebt gehouden. En ik weet zeker dat hij het heel fijn zou vinden als je niet altijd alleen zou blijven.'
Nu moet Marijke een beetje huilen. Willeke loopt naar haar toe

en slaat een arm om haar heen. 'Zal ik hem bellen of hij even langskomt?' vraagt Marijke nog nasniffend.

'Doe dat,' zegt Jan-Jaap. 'Kan ik meteen zien of hij aardig is. Want als dat niet zo is, timmer ik hem op zijn neus.'

Nu kan Marijke weer lachen. 'Nou,' zegt ze. 'Ik denk eigenlijk dat je hem wel aardig zal vinden. Hij jóú in elk geval wel...'

'Hoezo?' roept Jan-Jaap uit. 'Ken ik hem dan écht?'

'Het schijnt van wel. Maar wacht nu maar gewoon af. Hij komt zo. Dan ga ik vast even koffiezetten.'

'Krijg nou het heen en weer,' zegt Jan-Jaap, als zijn moeder in de keuken is. 'Snap jij het?'

'Nee,' zegt Willeke. 'Maar ik vind het heel fijn dat je blij bent voor je moeder. Dat had ook heel anders kunnen zijn.'

Al na vijf minuten horen ze de bel gaan. 'Die woont inderdaad dichtbij,' stelt Willeke vast.

Marijke loopt haastig naar de gang. Even later stapt buurman Bol binnen. Hij ziet er keurig uit in zijn nette pak.

'Wat komt u hier doen?' vraagt Jan-Jaap stomverbaasd.

Buurman Bol kijkt een beetje onzeker naar Marijke. 'Het was toch de bedoeling dat ik langskwam?' vraagt hij.

Marijke knikt.

'Nu snap ik er geen jota meer van,' zegt Jan-Jaap. 'Die man heette toch Van Barneveld?'

'Ja,' zegt Marijke glimlachend. 'En?'

'Maar dit is gewoon buurman Bol!' roept Jan-Jaap.

'Dat is mijn noodlot,' zegt buurman Bol. 'Geen mens weet tegenwoordig nog dat ik Van Barneveld heet.'

Jan-Jaap staart zijn moeder met open mond aan. 'Dus hij is, eh... hij is...' stamelt hij.

'Ja,' zegt Marijke. 'Hij is het.'

Ze beginnen allemaal te lachen. 'Wat een toeval,' zegt Willeke.

Na een korte stilte stapt Jan-Jaap op buurman Bol af en geeft hem een stevige hand. 'Dit vind ik dus echt geweldig,' zegt hij. 'U begrijpt... tja, u begrijpt dat ik geen nieuwe vader wil hebben. Maar een lievere vriend voor mijn moeder had ik zelf niet kunnen uitzoeken.' En dan veegt hij gauw een traan van zijn wang.

'Och, jongen toch,' zegt buurman Bol een beetje ontroerd. 'Maak je geen zorgen. Dat snap ik zo goed. Maar ik ben ontzettend blij dat ik goedgekeurd ben.' Hij kijkt even naar Marijke. 'Daar zaten we allebei best over in, hè?'

Marijke slaakt een diepe zucht. 'Nou,' zegt ze uit de grond van haar hart. 'Maar nu ben ik verschrikkelijk blij en ga ik de koffie halen.'

'Maar,' begint Jan-Jaap, als hij zijn koffie op heeft. 'Hoe hebben jullie elkaar dan eigenlijk leren kennen?'

'Tja,' zegt buurman Bol. 'Eigenlijk komt het allemaal door Koen en Lot.'

'Koen en Lot?' vraagt Willeke vol ongeloof. 'Uit mijn klas?'

'Ja, die!' zegt buurman Bol. 'Ze hebben een tijd geleden een oproep op internet gezet waarin ze schreven op zoek te zijn naar een leuke vriendin voor hun buurman. En daarop kregen ze zes reacties.'

'Dat Koen en Lot dat bedacht hebben!' roept Jan-Jaap. 'En wíst u dat ze die oproep gingen plaatsen?'

'Nee, natuurlijk niet. Ik was zelfs kwaad toen ze me de mailtjes kwamen brengen, en ik heb ze meteen in de prullenbak gegooid. De kinderen schrokken zich een ongeluk en gingen als geslagen honden naar het clubhuis.'

'Wat?' roept Marijke. 'Dat heb je me niet eens verteld!'

'Nee,' zegt buurman Bol lachend. 'Daar schaamde ik me een beetje voor, want Koen en Lot hadden het natuurlijk heel goed bedoeld. Dus een kwartiertje later ben ik mijn excuses gaan aanbieden. En gelukkig waren ze niet boos.' Buurman kijkt even voor zich uit. 'Maar ja,' zegt hij dan. 'Voordat ik die avond naar bed ging, heb ik de brieven ineens toch nog uit de prullenbak gevist en ben ze gaan lezen. En toen was er één brief bij die ik heel erg prettig en lief vond.' Hij kijkt naar Marijke. 'En dat was dus die van jou.'

'Ongelooflijk,' zegt Willeke. 'Zo'n verhaal zal je niet vaak horen. Maar weten Koen en Lot dan dat Marijke nu uw vriendin is?'

'Nou,' zegt buurman. 'Ik heb ze wel verteld dat ik de brieven later toch gelezen heb en dat ik een afspraak met een vrouw had in restaurant De Gouden Leeuw. En ze weten ook dat die vrouw Marijke heette. Maar ze wisten natuurlijk niet dat Marijke de moeder van Jan-Jaap is. En dat weten ze nog steeds niet. Ze hebben me na die vrijdagavond wel gevraagd hoe het gegaan was. Toen heb ik ze verteld dat het heel gezellig was, en dat we een nieuwe afspraak hadden gemaakt. Maar ik heb ook gevraagd of ze er met niemand over wilden praten.'

'Nou,' zegt Jan-Jaap. 'Dat zullen ze dan ook beslist niet gedaan hebben. Zo goed ken ik ze nu wel. Maar wat zullen ze opkijken als ze erachter komen dat Marijke mijn moeder is, en dat het zo goed gaat tussen jullie!'

'Ja,' zegt buurman Bol. 'Ik denk dat ze dat geweldig vinden. We moeten het ze maar snel een keer vertellen, of, liever nog, meteen aan de complete club.'

'Dat doen we!' roept Marijke enthousiast. 'Je nodigt alle kinderen een keer bij je thuis uit om pannenkoeken te eten en dan ben ik er ook. En dan vertellen we wat Koen en Lot gedaan hebben en wat daaruit voortgekomen is.'

'Daar moet ik bij zijn,' zegt Jan-Jaap.

'En ik ook,' voegt Willeke eraan toe.

'Prima plan,' zegt buurman Bol. 'Dat doen we als Tom weer helemaal fit is. Ze zullen het allemaal prachtig vinden. Dat weet ik zeker.'

Ineens staat Willeke spontaan op en geeft buurman Bol een dikke kus. 'Ik heb u nog maar één keer gezien. Dat was toen u ging witten bij Janneke. Maar ik heb al zoveel over u gehoord en daarom weet ik dat iedereen dol op u is. Maar nu ben ik het ook. Ik vind u een echte schat.'

'Tjonge,' zegt buurman Bol een beetje verlegen.

'Let maar niet op zijn rode wangen, hoor,' roept Marijke vrolijk. 'Ik ga gauw een lekker flesje wijn opentrekken. Tenslotte hebben we wel wat te vieren...'

Ontbijt op bed en een heel lief briefje

Tom wordt de volgende ochtend rustig wakker. Tevreden blijft hij nog even liggen. Gisteravond is Jan-Jaap met Bert op bezoek geweest. Bert moest steeds huilen, en vertelde dat hij zo jaloers was op Tom. Maar hij zei wel vijf keer dat hij nooit meer zoiets zou doen en dat hij heel erg zijn best zou doen om te veranderen. Bij het afscheid, hebben ze elkaar een hand gegeven. 'Sterkte,' had Tom gezegd. 'Zet hem op. Ik zie je nog wel.'
Ik zal nooit meer last van hem krijgen, denkt Tom. Ik weet het zeker.
En dan komt zijn moeder met een groot blad binnen. 'Ja,' zegt ze vrolijk. 'Voor je weer naar school gaat, breng ik je nu nog even ontbijt op bed.'
'Mm,' zegt Tom. 'Dat zal ik straks gaan missen.'

Die middag komen de clubleden even langs. 'Fantastisch dat je maandag weer op school bent,' zegt Daan enthousiast. 'Zonder jou is het gewoon veel minder leuk in de klas. Iedereen heeft je gemist.'
'Leuk om te horen,' zegt Tom. 'Ik heb er zelf ook zin in.'
Daan lacht. 'En weet je wie ik net nog tegenkwam? Bert! Hij kreeg een enorm rood hoofd toen hij me zag, maar hij stak wel even zijn hand op.'
'Hij heeft vast spijt,' zegt Lot.
'Nou, dat is hem geraden ook,' blaast Daan. 'En je moet niet

meer bang zijn, Tom. Als die gozer je ooit nog met een vinger
aanraakt, mep ik hem helemaal in elkaar.'
'Is niet nodig, Daan,' zegt Tom rustig. 'Bert de Vroege zal me
niets meer doen.'
'Echt niet?' vraagt Els.
'Echt niet,' zegt Tom beslist. 'Ik hoef niet meer bang te zijn. En
jij ook niet, Els. Hij is hier gisteravond geweest en hij heeft echt
heel veel spijt.'
'Wat?' roept Daan verontwaardigd. 'Had hij ook nog het lef om

te komen? Nou zeg! Daar word ik pas echt nijdig van. Tjonge jonge... Wat een eikel!'

Toms moeder moet er een beetje om lachen. 'Rustig maar, Daan. Je hoeft heus niet zo kwaad te zijn. Maar dat leggen we later nog wel eens uit. Dit is geloof ik niet echt het juiste moment. Ik ga nu iets te drinken voor jullie inschenken en lekker veel chips op tafel zetten.'

Als de clubleden hun jas weer aan gaan trekken, treuzelt Els een beetje en geeft Tom snel een briefje. Tom vouwt het open en leest het, terwijl Els de kamer uitloopt.

'Ik ook op jou,' zegt hij nog net op tijd. 'Ik ook op jou, Els!'

Als iedereen weg is, staart Tom met een grote glimlach op zijn gezicht uit het raam. Alles komt nu goed, denkt hij. Echt álles...